Litzma

Ibsens Dram(

Litzmann, Berthold

Ibsens Dramen, 1877- 1900

Inktank publishing, 2018

www.inktank-publishing.com

ISBN/EAN: 9783750136007

Ibsens Dramen

1877—1900.

— • —

Ein Beitrag zur Geschichte des deutschen Dramas im
19. Jahrhundert

von

Berthold Litzmann,
Professor der deutschen Litteraturgeschichte an der Universität Bonn.

———— ·· · ·

Hamburg und Leipzig
Verlag von Leopold Voß
1901.

Meinen Hamburger Freunden.

169122

Vorwort.

Aus Vorlesungen — zuerst in Bonn, dann in Hamburg gehalten — ist dieses Buch erwachsen, wie acht Jahre früher „das deutsche Drama in den litterarischen Bewegungen der Gegenwart". Auch darin gleicht es jenem, daß es seinen Ursprung dankt einem unwiderstehlichen Drange mir und anderen Rechenschaft zu geben über innere Erlebnisse. Welches Ziel mir dabei vorschwebte, ist in der Einleitung und am Schluß ausgesprochen. Meinen Hörern sagte ich in der ersten Vorlesung, daß ich die Kenntnis der Ibsenschen Dramen voraussetze. Dasselbe gilt natürlich auch für den Leser.

Am 25. Mai 1901.

Berthold Litzmann.

Inhalt.

Einleitung.

Es ist ein Kapitel aus der Geschichte des deutschen Theaters und Dramas, mit dem sich die folgenden Ausführungen beschäftigen.

Ebenso wie in eine Geschichte des deutschen Dramas im 18. Jahrhundert ein Kapitel mit der Überschrift „Shakespeare" gehört, ebenso wird eine Darstellung des deutschen Dramas im 19. Jahrhundert den norwegischen Dichter und sein Werk behandeln müssen, als wäre er auf unserm Boden gewachsen.

In Anlehnung an ihn, im Kampf mit ihm hat eine ganze Generation ihren Weg sich gesucht und erkämpft, und sowohl in der Problemstellung wie in der dramatischen Technik hat dieser Fremde auf das deutsche Drama der letzten zwanzig Jahre einen Einfluß ausgeübt, und übt ihn noch aus, wie es in der Stärke und in dem Umfang keinem unserer Einheimischen seit Menschengedenken beschieden war.

Wenn ich aber dabei an Shakespeare erinnere und an die Zeiten und die Umstände, unter denen dieser Unvergleichbare in unser Kulturleben hineinwuchs, so soll damit selbstverständlich nicht eine, in jeder Beziehung geschmacklose, Parallele zwischen den Beiden gezogen werden, sondern ich möchte nur durch diese Gegenüberstellung in ihren Ursachen und in ihren Erscheinungs= formen verwandter Vorgänge von vornherein den Hauptgesichts= punkt ins hellste Licht setzen, unter dem ich mein Thema be=

handle, um so mehr, als aus dessen Einhaltung sich zugleich eine Begrenzung des Stoffes wie die Betrachtungsweise im einzelnen ergiebt. Ich erachte es nämlich als meine Hauptaufgabe, nicht Ibsens dichterische Entwicklung von ihren ersten Anfängen an darzustellen, nicht zu zeigen, wie diese Persönlichkeit sich unter diesen zeitlichen und örtlichen Verhältnissen seiner Heimat bildete, sondern mir kommt vor allem darauf an, diejenigen Elemente in den Ibsenschen Dramen nachzuweisen und zu analysieren, die von den Zeitgenossen als etwas Neues empfunden wurden, und die gerade auf der deutschen Bühne in der verschiedensten Hinsicht als revolutionär, als Gärungserreger gewirkt haben und noch wirken; nnd im Anschluß daran den tieferen Ursachen nachzuspüren, welche, begründet in der allgemeinen sozialen und litterarischen Zeitlage, diese Besitzergreifung der deut= schen Bühne durch den skandinavischen Dichter begünstigt und im weiteren Verlaufe wieder gehemmt haben.

Aus dieser Perspektive ergiebt sich von selbst die Möglich= keit, richtiger die Notwendigkeit, den Betrachtungskreis auf diejenige Phase von Ibsens dramatischer Thätigkeit zu be= schränken, von der an sein Einfluß auf das deutsche Drama beginnt, mit der dramaturgischen Erörterung also erst bei dem Werke einzusetzen, mit dem und durch das Ibsen vor 23 Jahren zuerst auf der deutschen Bühne sich Gehör erzwang, als einer, der mehr zu sagen hat als die andern, d. h. den „Stützen der Gesellschaft".

Diese Abgrenzung erscheint um so eher am Platze, als ja auch in Ibsens innerem Entwickelungsgang dies Drama einen Abschnitt, eine Epoche bezeichnet. Hier trat er zum ersten Mal als der Dramatiker auf, der nicht nur auf den skandi= navischen Norden, sondern auf die ganze moderne Gesellschaft des Abendlandes, sowohl durch die Stellung seiner Probleme wie durch die Art, wie er sie künstlerisch gestaltete, von allen

Dramatikern der Neuzeit den tiefsten und weitestgehenden Einfluß zu üben berufen war.

Auf keinem anderen Boden aber und in keiner anderen
Umgebung hat sein Wort mehr Unruhe, mehr Bewegung,
mehr Leben gewirkt als in Deutschland. In keiner andern
der modernen Litteraturen hat dieser Skandinave so tiefe,
unauslöschliche Spuren hinterlassen wie in der unsrigen. Seine
Eigenart, die anderwärts nur als ein Reiz unter anderen
wirkte, gewann auf unserm Boden die Bedeutung einer persönlichen Gewaltherrschaft, die auch den Widerstrebenden den
Stempel aufbrückte.

Wenn das klassische Zeitalter, von Shakespeare ausgehend,
nach vielen verfehlten Anläufen schließlich ein großes heroisches,
nationales Drama zeitigte, und damit eine, über den Zeit-
raum zweier Jahrhunderte sich erstreckende, geistige Arbeit zu
einem bedeutsamen Abschluß brachte, so konnte es für die
jüngere Schwestergattung des ernsten Dramas, die bürgerliche Tragödie, das bürgerliche Schauspiel, auf ein ähnlich
befriedigendes Ergebnis nicht zurückblicken. Vielmehr mußte
die um die Mitte des Jahrhunderts so hoffnungsvoll, unter
Lessings Führung, mit der Miß Sara Sampson eingeleitete
Bewegung, das künstlerische Geltungsbereich tragischer Ver-
wickelungen durch aus dem bürgerlichen Leben geschöpfte Konflikte zu erweitern, gerade in dem Augenblick gescheitert gelten,
wo für die heroische Tragödie durch Schillers Mannesarbeit
ein großes Ziel erreicht schien; so daß das Verdammungsurteil über die ganze Gattung, das Schiller, selbst einst einer
der Bannerträger der Bewegung, in den Xenien aussprach,
kaum von irgend einer Seite nennenswerten Widerspruch erfuhr.
Das bürgerliche Schauspiel hatte abgewirtschaftet, ehe man
noch eigentlich Zeit gehabt hatte, über das besondere Wesen

1*

der Gattung und die von ihr, vor anderen, zu lösenden künstlerischen Aufgaben ins klare zu kommen. Nach einer Reihe
von Versuchen und Anläufen in verschiedener Richtung, die
im einzelnen oft großes Talent und, was fast noch mehr ist,
eine starke Ursprünglichkeit verrieten, die aber ausnahmslos
eines scharf ins Auge gefaßten, Inhalt und Form der Gattung
bestimmenden, Zielpunktes entbehrten, war das bürgerliche
Drama einstweilen von den Dichtern kampflos den Routiniers
preisgegeben, die skrupellos damit eine Art Raubbau zu treiben
begannen und nur die auf der Oberfläche liegenden, roh
theatralischen Konflikte ohne Psychologie und ohne Geschmack
ausbeuteten und handwerksmäßig verarbeiteten.

Trotzdem, oder vielleicht gerade deshalb, wirkte die scharfe,
höhnische Absage, die der Dichter des Wallenstein dem bürgerlichen Drama und damit seiner eigenen Vergangenheit er-
teilt hatte, auf lange Zeit hinaus für den dramatischen Nach-
wuchs als ein Abschreckungssignal. Und wenn es schon
schwer schien, „mit Würde sich zu fassen, auf einem Stuhl, den
Schiller leer gelassen", so schien es noch bedenklicher, sich auf
Pfaden betreten zu lassen, die die Spuren von Ifflands und
Kotzebues breiten Fußstapfen zeigten. Die Trivialität und die
Sentimentalität lauerten am Wege, bereit, jedem tragischen
Konflikt des bürgerlichen Lebens Mark und Kraft aus den
Knochen zu saugen.

Der erste, der diesen Bann durchbrach und mit Ein-
setzung seiner ganzen mächtig gefugten, in der harten
Schule persönlicher und sozialer Kämpfe zu innerer und
äußerer Selbständigkeit durchgearbeiteten Persönlichkeit für das
bürgerliche Drama eine neue Bahn eröffnete und die Zeitgenossen durch die That von der Möglichkeit, ja der Notwendigkeit der Wiedereinschaltung des bürgerlichen Schauspiels in
die künstlerische Arbeit der Zeit, als eines der großen Tragödie
voll ebenbürtigen Faktors überzeugte, war Hebbel.

11

Hebbel glaubte erkannt zu haben, daß das alte, am letzten Ende auf Lessings Miß Sara Sampson als Urbild zurückgehende bürgerliche Trauerspiel vor allem durch zwei Übelstände so in Mißachtung geraten sei. Einmal, daß man es nicht „aus seinen inneren, ihm allein eigenen Elementen" aufgebaut, sondern es aus allerlei Äußerlichkeiten, „z. B. Mangel an Geld bei Überfluß an Hunger", vor allem aber „aus dem Zusammenstoßen des dritten Standes mit dem zweiten und ersten in Liebesaffären zusammengeflickt habe"; dann aber aus einem Mangel an Stil; daß unsere Poeten „wenn sie sich zum Volke herniederließen ... die gemeinen Menschen, mit denen sie sich in solchen verlorenen Stunden befaßten, immer erst durch schöne Reden, die sie ihnen aus ihrem eigenen Schatz vorstreckten, adeln oder auch durch stöckige Borniertheit noch unter ihren wirklichen Standpunkt hinabdrücken zu müssen glaubten ... Und das war nun noch schlimmer, denn es fügte dem Trivialen das Absurde und Lächerliche hinzu."

Dem gegenüber, und im Gegensatz vor allem zu den Bahnen, die das bürgerliche Drama seit den Tagen der Stürmer und Dränger eingeschlagen, sah Hebbel die Zukunft des bürgerlichen Dramas in einer Verinnerlichung seiner Vorwürfe und in einer, damit Hand in Hand gehenden, Vertiefung seiner Darstellungsmittel. .

Ihn lockte dabei vielmehr die psychologische als die soziale Seite der Aufgabe. Nicht aus dem Kampf der Stände gegeneinander, aus dem Klassengegensatz baute sich ihm das bürgerliche Drama auf, sondern „aus der schroffen Geschlossenheit, mit der die zu aller Dialektik unfähigen Individuen sich in dem beschränktesten Kreis gegenüberstehen, und aus der hieraus entspringenden schrecklichen Gebundenheit des Lebens in der Einseitigkeit". Also ein Drama, hervorwachsend aus Konflikten, die der gewählten Umgebung eigentümlich und zugleich tragisch sind, oder, wie er es auch einmal ausgedrückt hat, „es hängt beim bürgerlichen Trauer= spiel alles davon ab, ob der Ring der tragischen Form ge= schlossen, d. h. ob der Punkt erreicht wurde, wo uns eines= teils nicht mehr die kümmerliche Teilnahme an dem Einzel= geschick einer von dem Dichter willkürlich aufgegriffenen Person zugemutet, sondern dieses in ein allgemein Menschliches, wenn auch nur in extremen Fällen so schneidend Hervor= tretendes aufgelöst wird, und wo uns andernteils neben dem von der sog. „Versöhnung" unserer aesthetici aufs strengste zu unterscheidenden Resultat des Kampfes zugleich auch die Not= wendigkeit, es gerade auf diesem und keinem anderen Wege zu zu ereichen, entgegentritt."

War durch diese und die daran sich knüpfende Forderung eines dem Vorstellungskreis und dem Bildungsgrad der handelnden Personen entsprechenden Stils, also eines ge= mäßigten Naturalismus, in der That für die Erneuerung des bürgerlichen Dramas auf künstlerischen Voraussetzungen in der Theorie eine neue Grundlage geschaffen, so säumte Hebbel nicht, seine Theorie selbst in Praxis umzusetzen in der „Maria Magdalena", einer Dichtung, die hinsichtlich des Vorwurfs und der Charaktere genau seinem eignen Ideal entsprach, hinsichtlich der Stilgebung allerdings beträchtlich hinter dem von ihm selbst gesetzten Ziel zurückblieb.

Durch diesen kräftigen, den Stoffkreis des Dramatikers erweiternden Vorstoß erwarb sich Hebbel zweifellos ein großes Verdienst, das auch dadurch nicht beeinträchtigt wurde, daß er bei seiner Abgrenzung des Stoffgebiets für das bürgerliche Drama, beeinflußt durch die bisherigen Schicksale des bürger= lichen Dramas nicht minder wie durch persönlichste Neigungen und Begabung, die Grenzen etwas zu eng zog, und vielleicht mehr durch seine Praxis noch als durch seine Theorie die aus dem Gegensatz der Klassen und den sozialen Kämpfen heraus=

wachsenden, echten tragischen und dramatischen Konflikte zu
Gunsten der innerhalb der geschlossenen Sphäre des Klein-
bürgertums sich abspielenden, aus der „schrecklichen Gebundenheit des Lebens in der Einseitigkeit" sich ergebenden tragischen
Beweggründe mehr in den Hintergrund schob. Die Hauptsache
war doch, daß durch seine kräftige Anregung der Bann gebrochen,
und die ganze Gattung von dem Makel künstlerischer Minderwertigkeit endlich einmal befreit wurde. Dieser Erfolg war
um so höher anzuschlagen, als, durch die Wiedereinfügung
des bürgerlichen Dramas, als eines dem heroischen Drama ebenbürtigen Faktors, in die moderne Litteraturbewegung, der unter
dem Fluch des Epigonentums so schwer leidenden und auf
Schritt und Tritt durch fremdes Vorurteil und eigene Zweifel
gehemmten Dichtung der Gegenwart ein fast jungfräuliches
Arbeitsfeld von gewaltiger Ausdehnung erschlossen wurde,
das fröhlichem Wagemut reicheren Lohn innerer Befrie-
digung verhieß, als das Wandeln in den Fußstapfen der
Klassiker.

Merkwürdigerweise aber schien es dem Geschlecht, für
das Hebbel schrieb, gerade an jenem Wagemut zu fehlen.
Ganz ähnlich, wie seiner Zeit der erste Bahnbrecher Lessing
lenkte nicht nur Hebbel selbst nach dem gelungenen Vorstoß
auf dies Gebiet von der mit der „Maria Magdalena" ein-
geschlagenen Richtung ab und wandte sich anderen Aufgaben
zu, sondern auch (auch das an das Jahrzehnt, das auf
Lessings „Sara" folgte, erinnernd), der Nachwuchs blieb aus;
blieb jedenfalls weit hinter billigen Erwartungen zurück. Mit
einziger Ausnahme Otto Ludwigs, der acht Jahre nach
der „Maria Magdalena", mit seinem „Erbförster" auf den Plan
trat, und sich allerdings als ein voll Ebenbürtiger Hebbel
an die Seite stellte, ging die Anregung an den Dramatikern
der Epoche so gut wie spurlos vorüber. Und wenn auch einige,
wie Gustav Freytag in der „Valentine" und im „Grafen

Waldemar" gelegentlich Ausflüge auf das Gebiet des bürgerlichen Dramas unternahmen, so konnte doch von einer wirklichen Ausbeutung der hier sich bietenden dramatischen und vor allem tragischen Vorwürfe nicht die Rede sein. Ja Hebbels und Otto Ludwigs Beispiel schien, so dankbar ihre Leistungen als eine bleibende Bereicherung nicht nur der Schaubühne, sondern auch der dramatischen Litteratur allseitig begrüßt wurden, im ganzen mehr eine abschreckende, denn eine anspornende Wirkung auszuüben.

Zum Teil mag daran die Eigenart der beiden führenden Dichter, oder richtiger der von ihnen behandelten Stoffe Schuld gewesen sein. Sowohl „Maria Magdalena" wie der „Erbförster" entbehren in der Anlage der Charaktere wie in den psychologischen Voraussetzungen der Handlung jenes Prozentsatzes von typischen Bestandteilen, der vorhanden sein muß, wenn ein Einzelschicksal in der Form des Dramas auf ein gutes Durchschnittspublikum wirken soll, wie ein großes elementares Ereignis, das jeden Widerspruch und jede Auflehnung ausschließt. Jener Prozentsatz, der allen Schillerschen Dramen ohne Ausnahme eigen ist, und dem Schiller auch seine unverwüstliche Anziehungskraft und Macht über die Gemüter verdankt, bei Hebbel und Otto Ludwig ist er auf ein Mindestmaß beschränkt. In dem leidenschaftlichen und erfolgreichen Bestreben, gegenüber den verwässerten und verbrauchten Charaktertypen des alten bürgerlichen Rührstücks neue, ebensosehr durch Lebenskraft wie Eigenart sich auszeichnende Charaktere zu schaffen, haben beide, wenn ich es so ausdrücken soll, den Lebensausschnitt, aus dem sie ihre Charaktere und Konflikte entnehmen, etwas zu klein, zu eng bemessen. Und wenn auch auf den Höhepunkten dramatisch-tragischer Leidenschaft in dem Einzelschicksal das allgemein Menschliche, der Menschheit ganzer Jammer mit furchtbarer Beredsamkeit zu Worte kommt, die Voraussetzungen, auf denen sich das tragische Schicksal aufbaut, sind so besonderer Art, der Boden, aus dem diese Gestalten die ihre tragische Katastrophe bedingenden und bestimmenden Bestandtheile aufnehmen, so eigentümlich bestellt und bereitet, daß das psychologische Interesse an dem besonderen Fall bei weitem jene allgemein starke Gemütserregung überwiegt, die aus der innigen Teilnahme an einem Menschenschicksal erwächst, das wir als Los der Menschheit mit durchleben und durchleiden.

Wenn Otto Ludwig sich gelegentlich zur Erklärung und Verteidigung des Charakters seines Erbförsters darauf be= rufen hat, man müsse bedenken, in welcher Zeit der Mann lebte: „Der Erbförster ist in der Revolutionszeit ent= standen und die Aufregung der Gemüter muß den Streit und die Überspannung erklärlich machen. Ich habe solche Kerle wie Lindenschmid, wie Ulrich kennen gelernt", so täuschte er sich zwar darin, daß er meinte, durch eine eingeschobene Szene, die ein grelles Streiflicht auf die Zeitstimmung werfe, könnten die kritischen Bedenken gegen die innere Lebenswahr= heit seines prächtigen Erbförsters beseitigt werden. Denn eine solche Szene hätte noch nichts genutzt, und vor allen Dingen für die Leute nicht, die ohne eine solche den Erb= förster nicht verstehen. Wohl aber ist hier die schwache Stelle an dem von Hebbel und Otto Ludwig neu aufgestellten Typus des bürgerlichen Dramas berührt, wenn man nämlich beide Leistungen als vorbildlich für die einzuschlagende Rich= tung und nicht blos im allgemeinen als Anreger gelten lassen wollte.

Beide Dramen sind zeitlos; diese Einzelschicksale könnten in jeder Zeit sich begeben, sowohl der „Erbförster" wie „Maria Magdalena" könnten im Kostüme des 18. Jahrhunderts, wie in irgend einem des 19. Jahrhunderts gespielt werden, ohne daß jemand, der es nicht wüßte, die Verlegung als Störung

empfänbe. Gewiß liegt barin in gewissem Sinn ein Vorzug
und man möchte baraus vielleicht sogar schließen: nicht für
die Zeit geschrieben, werden sie auch die Zeit überbauern.
Nur darf man sich babei barüber nicht täuschen, baß
gerabe bas bürgerliche Drama, wenn es auf bie besondern
Zeitfarben verzichtet nnd gleichzeitig dem tragischen Konflikt
an sich bie typischen Zusätze versagt, es auf wesentliche und
berechtigte Eigentümlichkeiten seiner Gattung verzichtet, bie
ihm als Ergänzung ber großen heroischen Tragöbie bie Daseins-
berechtigung an erster Stelle in ber modernen Litteratur ver-
leihen.

Um es also zusammenzufassen, bas Urbild bes beutschen
bürgerlichen Dramas, wie es Hebbel unb Otto Lubwig geschaffen, war, so sehr es eine Bereicherung unserer bramatischen
Litteratur barstellte, boch baburch von vorn herein in seiner vorbildlichen Wirkung wenn nicht verfehlt, so boch wesentlich
beeinträchtigt, als es bie aus ber allgemeinen Lage ber bürgerlichen Gesellschaft, bie burch bie geistige Arbeit ber Zeit unb
bie soziale Bewegung im weitesten Sinne gegebenen unb zu
bramatischer Gestaltung herausfordernden Vorwürfe wenig ober
gar nicht berücksichtigte unb bie tragische Verwicklung zu einseitig aus ber Charakteranlage unb ben Konflikten, bie sich
baraus im Familienkreise ergeben, ableitete. Hierin mag,
wie gesagt, zum Teil ber Grund zu suchen sein, baß trotz
ber von ihnen persönlich geleisteten, großen künstlerischen
Arbeit, sie auf bem betretenen Wege keine Nachfolger fanden,
unb baß, während gleichzeitig auf bem Gebiet bes Romans
bie sozialen unb politischen Fragen ber Zeit aufs eifrigste
künstlerisch verwertet wurden, bie Dramatiker biese Stoffe
so gut wie ganz unbeachtet ließen. Nicht vergessen barf
babei freilich auch werden, baß in ber That in biesem
Zeitraume zwischen 1840—70 bie geistigen Entscheidungs-
kämpfe wesentlich aus politischen unb nationalen Gegen-

fäßen fich ergaben, und die allgemeinen fozialen Auseinander=
fetzungen noch verhältnismäßig wenig die bürgerliche Gefell=
fchaft in ihren vier Wänden in Mitleidenfchaft zogen.

Wie gering gerade in dem deutfchen Bürgertum noch
das Bedürfnis war, die innerhalb ihrer Kreife vorhandenen
Gegenfätze und fich vorbereitenden Kämpfe im Spiegel einer
dramatifchen Geftaltung zu fehen, wie kühl das Publikum den
befonderen Aufgaben des bürgerlichen Dramas gegenüberftand,
beweift ein Blick in die Repertoire der großen deutfchen
Bühnen in den fünfziger, fechziger und fiebziger Jahren.
Das bürgerliche Drama ift hier faft ausfchließlich vertreten
durch die rein theatralifchen Machwerke der betriebfamen Frau
Charlotte Birch=Pfeiffer, die das Gefchäft der Firma Iffland=
Kotzebue mit denfelben Mitteln und demfelben klingenden
Erfolg wie jene fortfetzte, und — durch die Zufuhr aus
Frankreich, vertreten vor allem durch Dumas, Augier, Sardou.
Und was diefe letzteren uns boten, lag fowohl hinfichtlich der
thatfächlichen Vorausfetzungen, auf denen fie ihre Konflikte
aufbauten, wie hinfichtlich der Welt= und Lebensanfchauung,
aus der heraus fie felbft, und ihre Perfonen mit ihnen,
fich mit den Aufgaben des Lebens abzufinden fuchten, dem
Vorftellungs= und Anfchauungskreis der deutfchen bürger=
lichen Gefellfchaft fo unendlich fern, daß von einer inneren
Anteilnahme an den hier aufgeworfenen Fragen nicht die Rede
fein konnte, wenngleich die gefchickte Bauart, die, fo lange
der Vorhang aufgezogen war, nie einen Augenblick Lange=
weile auffommen ließ, und der prickelnde Reiz der faft aus=
nahmslos erotifchen Stoffe nur zu oft darüber hinwegtäufchte,
wie wenig uns eigentlich diefe Menfchen zu fagen hatten.
Die wenigften machten es fich klar, daß alle diefe aus der
eigentümlichen Mädchenerziehung in Frankreich fich ergebenden
tragifchen Konflikte, die Vorausfetzungen der Ehefchließung,
die abfolute Unlösbarkeit der einmal gefchloffenen Ehe, in

Verbindung mit den Lebensgewohnheiten und der Atmosphäre
von Paris unserem Interesse und Verständnis mindestens ebenso
fern, ja viel ferner, lagen, als der tragische Konflikt im Leben
des unglücklichen Infanten von Spanien oder der Kampf
zwischen Maria von Schottland und Elisabeth von England.

Daß dies kein gesunder Zustand sei und daß durch
diese Einfuhr aus Frankreich dem Mangel eines auf unserem
Boden erwachsenen, unsere Anschauungen, unsere Kämpfe
widerspiegelnden und zugleich höchste künstlerische Zwecke ver=
folgenden bürgerlichen Dramas nicht abgeholfen sei, die
Erkenntnis davon kam erst sehr langsam zum Durchbruch
und blieb auch dann einstweilen noch ohne thatsächliche
Folgen.

Das Jahr 1870 brachte auch hier wie auf anderen Ge=
bieten die entscheidende Wendung. Wie es die politischen und
nationalen Wünsche, an deren Verwirklichung mehrere Gene=
rationen ihre ganze Kraft gesetzt hatten, erfüllte, so eröffnete
es den Ausblick auf eine Reihe von neuen Aufgaben, deren
Lösung bisher hinter den auf die nationale Einheit und Frei=
heit gerichteten Bestrebungen hatte zurückstehen müssen und die
in ihrem Ernst und ihrer Bedeutung für die gesamte bürger=
liche Gesellschaft erst jetzt vielen zum klaren Bewußtsein
kamen. In diesem Zeitalter politischer Kämpfe hatte die
bürgerliche Gesellschaft eine durchgreifende Wandlung erfahren.
Die alten Standesgegensätze, die, ein Erbteil früherer Jahr=
hunderte, noch bis in die Mitte des 19. Jahrhunderts eine
so tief in das Leben der Familien und der Einzelnen ein=
schneidende Bedeutung gehabt hatten, hatten sich, in dem
Maße als der dritte Stand durch die gewaltigen Macht=
mittel des Großgewerbes äußerlich als eine dem, aus altem
Grundbesitz seine Herrschaftsansprüche herleitenden und mehr
noch auf ihn sich stützenden, Adel mindestens gleich starke
Macht emporgekommen war, mehr und mehr ausgeglichen

und verwischt. Und wenn es hier auch noch zu erbitterten Kämpfen kam, so drehten diese sich um ganz andere Dinge als seither, und die alten Konflikte zwischen beiden Ständen mochten sie auch gelegentlich noch in einem Menschenleben eine Rolle spielen, hatten ihre typische Bedeutung verloren. Dagegen war aber durch die Entwickelung der Industrie und des Welthandels in die bürgerliche Gesellschaft eine Reihe von neuen Konfliktskeimen hineingetragen worden, die nicht nur aus den Ansprüchen des mit dem Großgewerbe in eine neue Rolle hineingewachsenen und hineingedrängten vierten Standes und dem Widerstand des dritten Standes dagegen sich ergaben, sondern aus der Weltanschauung und Lebens= auffassung eines jüngeren Geschlechts, das mit Ansprüchen und Idealen einer neuen Zeit sich in mehr oder minder scharfem Widerspruch gegen die älteren Generation durch= zusetzen und durchzukämpfen strebte. Die soziale Frage im weitesten Sinne begann mehr und mehr die Geister zu beherrschen und warf nicht nur auf dem großen öffent= lichen Markt, im Kampf um Mein und Dein, sondern auch innerhalb der vier Wände, im Schoße der Familien, täg= lich besondere Fragen auf, die gerade, weil auf sie eine Antwort nicht gegeben werden konnte, eine eigentüm= liche Gärung hervorriefen, die je nach dem Temperament, dem Lebensalter bald als Lust, bald als Qual empfunden wurde.

Und dieses junge, kämpfende und ringende, hoffende und verzweifelnde Geschlecht war es auch, das es am schmerz= lichsten empfand, daß für all die Gefühle und Ideale und Hoffnungen und Enttäuschungen, die sie bewegten, die Dichter der Zeit taub zu sein schienen, und daß vor allen Dingen in einem Augenblick, wo für eine Verjüngung des bürger= lichen Dramas alle Vorbedingungen in einer Weise gegeben erschienen, wie kaum je zuvor, in diesem jüngsten, und, wie uns

dünkte, zukunftreichsten Zweig deutscher Dichtung kein Lebens-
zeichen sich regte.

Ich spreche hier aus persönlichster Erfahrung und darf
es wohl.

Wie bitter wir es als eine Demütigung empfanden,
daß in einer solchen ernsten und schönen Zeit, unmittelbar
nach großen nationalen Errungenschaften und an der Schwelle
einer neuen, zu Lust und Thaten lockenden Zukunft das
deutsche Publikum in Paul Lindau einen zweiten Lessing
begrüßte und in seinen Lust- und Schauspielen den Ausdruck
seiner Ideale und Lebensanschauungen wiederfand, wie uns
auch seinen Vorbildern, den Dumas, Augier und Sardou
gegenüber, so ungleich höher wir sie einschätzten, und so lehr-
reich sie uns in ihrer Kunstfertigkeit erschienen, ein mit jeder
neuen Leistung sich steigerndes Gefühl der Gleichgültigkeit und
des Verdrusses überkam, weil alle ihre Konflikte und Gestalten nur so lange sie auf der Bühne vor unseren Augen
sich darstellten, eine Art Scheinleben führten, aber in dem
Augenblick, wo wir das Theater verließen, aus unserem
Gedächtnis ausgelöscht waren, weil wir nichts mit ihnen gemein hatten, das alles steht in diesem Augenblick, wo ich mich
an den Ausgang der siebziger Jahre zurückversetze, lebhaft
vor meiner Seele.

Ich entsinne mich auch, wie in dieser Zeit Hebbel und
Otto Ludwig auf uns wirkten. Es ist wahr, wir hatten mehr
Verständnis für sie, als das damals tonangebende Publikum.
Wir spürten in der qualvoll dumpfen Enge des Hebbelschen
Dramas mit seiner verhaltenen Leidenschaft den Pulsschlag
eines wirklichen Poeten, der nichts anderes wollte als wahr
sein und ehrlich gegen sich und seine Zeit; und zwischen
„Haus Fourchambault" und „Gräfin Leah" erquickten wir uns
an der herben Frische der Thüringer Waldluft, die den Erb-

förster und die Seinen umspielt. Wir sagten uns auch, daß diese beiden, wenn sie jetzt unter uns lebten, wohl verstanden hätten, die Probleme zu packen und die Töne anzuschlagen, die uns beunruhigten und nach denen wir uns sehnten. Aber sie waren doch Kinder einer anderen Zeit gewesen; und so konnten sie wohl, ebenso wie bis auf den heutigen Tag Schiller in „Kabale und Liebe", durch das Spiegelbild längst ausgekämpfter Konflikte und Leiden, die die Seele unserer Voreltern bewegt hatten, uns aufs Tiefste erschüttern und rühren, aber auf die Fragen, die den Kindern unserer Zeit das Herz beklemmten und sich ihnen immer wieder auf die Lippen drängten, keine Antwort geben.

Da mit einem Schlage änderte sich die Lage. Plötzlich war Einer da, von dem wir bisher nie gehört hatten, und doch kein Werdender mehr, sondern ein Fertiger, in sich Abgeschlossener, der anders war wie alle anderen. Einer, vor dessen Blick die stärksten Riegel der geheimsten Wünsche und Gedanken aufsprangen, der mit rücksichtsloser Hand in die verworrensten Verschlingungen dunkler Leidenschaften und Gefühle hineingriff, sie bis in die feinsten Verästelungen verfolgte und jede und jedes schließlich wie die Nervenstränge in einem anatomischen Präparat bloslegte. Einer, der für das Unausgesprochene und scheinbar auch Unsagbare, das sich wie eine Dunstwolke schwer und heiß auf die Sinne einer nach neuem Lebensinhalt ringenden Generation legte, Sprache und Ausdruck fand, und aus den die werdenden Menschen seines Zeitalters bewegenden und beunruhigenden Fragen eine nach der anderen herausgriff, zur Diskussion stellte und beantwortete, und der dabei den psychologischen und sozialen Problemen nicht nur mit einer an Verwegenheit grenzenden Rücksichtslosigkeit zu Leibe und auf den Grund ging, sondern auch als Künstler sowohl hinsichtlich des Aufbaus der Handlung wie der Charakterzeichnung eine Kraft und eine

Selbständigkeit offenbarte, die immer wieder Bewunderung und Staunen erregte. Das war Henrik Ibsen. Und es war nur selbstverständlich und natürlich, daß unter dem Eindruck dieser mehr als irgend einer seiner Zeitgenossen als Persönlichkeit die Menschen packenden dichterischen Erscheinung, sich namentlich der Jugend eine Erregung bemächtigte, die, so wenig die Eigenart des nordischen Grüblers dazu angethan erschien, in vielen Fällen den Charakter leidenschaftlicher Begeisterung annahm.

Und ebenso war es natürlich, daß, gereizt durch den fanatischen Übereifer einer mit ihrem Abgott durch Dick und Dünn gehenden Ibsengemeinde, derjenige Teil von urteilsfähigen Menschen, die unbeschadet ihrer starken und aufrichtigen Bewunderung des Dichters gegen gewisse Gesichtspunkte, unter denen er seine sozialen und sittlichen Probleme faßte, mit einem Wort gegen ihn in seiner Eigenschaft als des Befreiers der modernen Menschheit schlechthin Bedenken hatten, ihrem Widerspruch gegen die bedingungslose Vergötterung mit einer Schärfe Ausdruck gaben, die im Eifer des Gefechtes gelegentlich einmal auch über das Ziel hinausschoß.

Ich kann das wohl sagen, weil ich selbst auf jener Seite gestanden und gekämpft habe und wegen der Haltung, die ich in meinen 1892 gehaltenen Vorlesungen über das deutsche Drama Ibsen gegenüber eingenommen habe, von den Ibsenfanatikern mit Haß und Hohn genügend bedacht worden bin.

Wenn dagegen die Stellung, die ich heute Ibsen gegenüber einnehme, in manchen Punkten verändert erscheint, und wenn jene zum Teil scharfe Polemik, die damals den Grundton meiner Erörterungen abgab, in die folgenden Auslassungen nur erheblich gedämpft hereinklingt, so hat das seinen Grund zum Teil darin, daß ich inzwischen etwas ge-

lernt zu haben glaube, was zu bekennen, ich mich auch gar
nicht scheue, zum Teil aber, und mehr noch, weil die Strecke
Weges, die wir seitdem zurückgelegt haben, unser aller Ver=
hältnis zu Ibsen wesentlich verändert hat. Die Gefahr, die
uns damals zu bedrohen schien, und die uns gegen Ibsen
auf die Schanzen rief, die Gefahr, daß unser junges, eben
von den Fesseln des Epigonentums freigewordenes Drama in der
bedingungslosen Hingabe an diesen großen, einsamen Grübler
auf Bahnen sich verliere, auf denen die besten, hoffnungs=
vollsten und eigentümlichsten Kräfte deutschen Geisteslebens
verkümmern müßten, diese Befürchtung hat sich glücklicherweise
nicht in dem Maße, wie wir fürchteten, begründet erwiesen.
Die Ablenkung aus der, durch unsere nationale Einigung be=
dingten, großen Kulturaufgaben mit freudigem Vertrauen zu=
strebenden Richtung in lebensmüde Grübeleien war nur eine
vorübergehende Erscheinung. Und während wir auf der
anderen Seite die belebende künstlerische Kraft, die von
Ibsen ausgeht, auf uns haben wirken lassen, mit allen
Poren eingesogen und verarbeitet haben und noch ver=
arbeiten, sind die uns wesensfremden und wesensfeind=
lichen Bestandteile seiner Dichtung mit überraschender
Schnelligkeit und Gründlichkeit abgestoßen und beseitigt
worden. Wenn auch von den schwächeren Naturen einer
oder der andere in dieser Krisis nicht die Probe bestanden
hat, so können wir doch heute schon sagen, daß für die Zu=
kunft in dieser Hinsicht nichts mehr zu befürchten ist und daß
wir schon jetzt den Zeitpunkt sehr nahe gerückt sind, wo auch
solche, die nicht zur Ibsengemeinde gehören, sich der befruchtenden
Anregung, die das deutsche Drama durch ihn erfahren hat,
mit voller Unbefangenheit und ohne jede Einschränkung
freuen können. Und wenn ich aus den angedeuteten Gründen
bisher, so lange noch die Wage schwankte, es vermieden
habe, aufs neue zu dem Thema das Wort zu ergreifen, so

Litzmann, Ibsen.　　　　　　　　2

thue ich es jetzt gern und ohne jeden Skrupel, ohne jeden anderen Zweck als den, durch meine Erläuterungen das Verständnis für die Bedeutung und die Eigenart dieses zweifellos größten Dramatikers der Gegenwart zu fördern, auch bei denen, die bisher ein persönliches Verhältnis zu ihm nicht gewinnen konnten.

***

I. Die Stützen der Gesellschaft.

Daß in der skandinavischen Litteratur Männer am Werke seien, die im Gegensatz zu unseren tonangebenden Dramatikern eine feine Witterung für die die Gegenwart am tiefsten erregenden Fragen hatten, das mußten wir schon seit dem Anfang der siebziger Jahre, vor allem seit Björnsons „Fallissement", in dem mit kecker und zugleich sicherer Hand aus der Menge der in der Luft schwebenden und flatternden Motive eines herausgegriffen und, allerdings in einem sehr eng begrenzten Rahmen, mit großem Ernst und stellenweise zu tragischer Größe sich erhebender Kunst dramatisch gestaltet war.

Aber dieser Eindruck war weder an Unmittelbarkeit noch Nachhaltigkeit entfernt zu vergleichen mit der Wirkung, die Ibsens „Stützen der Gesellschaft" auf uns ausübten. Es war für die damaligen theatralischen Verhältnisse in Berlin ungemein bezeichnend, daß keines der beiden an erster Stelle zur Lösung einer solchen Aufgabe berufenen Theater sich um die Erscheinung kümmerte, sondern daß sie es Bühnen dritten Ranges überließen, und daß von diesen wieder zwei gleichzeitig sich des Stückes bemächtigten und trotz des Wettbetriebes und trotz unzulänglicher Darstellungsmittel volle Häuser damit erzielten, weil sie endlich die Speise boten, nach der gerade der bessere Teil des Publikums verlangte.

2*

' Thatsächlich hat Ibsen mit diesem Drama auf dem deut=
schen Theater einen Erfolg errungen, und zwar im erften
Anlauf, wie, das „Puppenheim" vielleicht ausgenommen, mit
keinem seiner späteren. Zum Teil lag das an der Wahl
des Stoffes, zum Teil an der Art der Behandlung. Durch
erftere packte er die Jugend und durch letztere verföhnte
er und hielt er auch diejenigen feft, die dem Neuen und
Eigenen, was in der Fragestellung und in der Charakter=
zeichnung gebracht wurde, kalt und gleichgültig gegenüber=
ftanden.

Gewisse Mängel, im künstlerischen Aufbau der Handlung
im ganzen wie der einzelnen Szenen, das Konventionelle,
was gelegentlich dem Dialog, ja felbst einzelnen Charak=
teren, vor allem aber der ganzen Schlußwendung anhaftet,
und was von uns heute, im Vergleich mit den späteren
Werken ftark und, namentlich im Ausgang, geradezu störend
empfunden wird, ftörten uns damals naturgemäß weniger
und erleichterten auf der anderen Seite den anderen das Ver=
ftändnis. Es giebt in diesem Stück noch nicht fo viel ver=
schlossene Thüren wie bei dem späteren Ibsen; und fo furcht=
bar ernst es ift, es ift doch mehr Sonne darin wie in den
späteren; und, wenn auch vielleicht mehr rhetorisch als aus
den Situationen und Charakteren wirklich hervorgewachsen,
es ift mehr Hoffnung und mehr Glaube darin als in der
Mehrzahl der Werke des späteren Ibsen.

Es ift eine große Anklage gegen die fittlichen Grundlagen
der modernen Gesellschaft, ihrem Wesen nach vernichtend, aber in
das judicatus es, damnatus es klingt diesmal noch wie eine
Stimme von oben „ift gerettet", die in der Folge fich nie
wieder vernehmen ließ.

Daß Ibsen im schroffften Gegensatz zu unseren Hebbel
und Otto Ludwig feine Aufgabe ganz als eine sozial=ethische
auffaßte, das war es gerade, was ihm unsere Herzen zu=

wandte, mochte er auch durch Übertreibung in Einzelheiten
uns zum Widerspruch reizen. Die Hauptsache blieb der tiefe,
sittliche Ernst, mit dem hier auf eine Erneuerung der Grund=
lagen der bürgerlichen Gesellschaft von innen heraus ge=
drungen, die Unerbittlichkeit, mit der der Lüge in jeglicher
Gestalt als dem Krebsschaden der Krieg bis aufs Messer er=
klärt wurde, und die scharfe Absage an die materiellen Götzen
des Zeitalters. Alles das wirkte auf uns, noch unter den
Nachwehen der Gründerjahre Leidende, wie eine Offenbarung
und Erlösung.

Das Stück beginnt als Satire und endet trotz des guten
Schlusses als Tragödie. Und wenn unter dem Gesichts=
winkel des Satirikers der Titel richtig lautet „Die Stützen
der Gesellschaft", so könnte mit demselben, mit größerm
Recht vielleicht auch von den „Opfern der Gesellschaft" ge=
sprochen werden; denn jene Stützen, die in ihrer Morschheit
und Hohlheit enthüllt und dem Gelächter und der Verachtung
preisgegeben werden, sie sind, nicht alle, aber manche von
ihnen, so geworden, sind gezwungen, so zu werden durch die
Gesellschaft selbst, die keine ganzen Menschen verträgt und
aufkommen läßt, die die halben Menschen züchtet. Die Tra=
gödie eines solchen halben Menschen als eines vorbildlichen
Falls der heutigen Gesellschaftserziehung ist das Schicksal
Karsten Bernicks, des Mannes, der durch Einsicht und That=
kraft über seine Umgebung thurmhoch emporragt, aber weil
seinen von Haus aus vorhandenen, doch schwach entwickelten sitt=
lichen Trieben in dieser Gesellschaft sich jeder Nährboden versagt,
sittlich verdorrt und verkrüppelt und vollkommen den Maßstab
verliert für Gut und Böse. Auch ein Mensch jenseits von
Gut und Böse, aber nicht aus Überkraft, sondern aus
Halbheit. „Du kannst es nicht begreifen, wie unsagbar einsam
ich hier stehe in dieser engherzigen, impotenten Gesellschaft —
wie ich Jahr für Jahr meine Ansprüche an eine mich ganz

ausfüllende Lebensaufgabe herabstimmen mußte . . . Höheres
wird hier ja nicht geduldet. Würde ich der Stimmung und
Anschauung, die gerade den Tag beherrschen, nur um einen
Schritt vorangehen, so wär' es aus mit meiner Macht.
Weißt du, was wir sind, wir, die als Stützen der Gesell=
schaft gelten? Wir sind das Werkzeug der Gesellschaft, —
nichts mehr und nichts weniger."

Diese Erkenntnis, die hier im vierten Akt im Munde des
Helden zum Bekenntnis wird und diese sittlich brüchige
Persönlichkeit wenn auch nicht entschuldigen so doch erklären
soll, ist aber, und darin beruht die künstlerische Bedeutung
des Dramas, für uns, die wir die Ereignisse bis hierher
verfolgt haben, nicht bloß eine Behauptung, sondern im
Augenblick, wo sie dem Helden tagt, ist sie auch uns durch
das, was wir an ihm und mit ihm erlebt haben, zu einer
persönlichen Erfahrung geworden. Opfer der Gesellschaft
könnte das Drama auch heißen, sagte ich mir, als ich es
zum erstenmal sah, nach dem dritten Akt. Und hier im
vierten fällt ja auch wirklich das Wort „Werkzeuge der Ge=
sellschaft".

Was uns hier veranschaulicht wird, ist ein typischer
Vorgang, nicht nur weil neben der Hauptgestalt eine
Reihe ihm verwandter, von ihm abhängiger sittlicher In=
validen stehen, die es uns begreiflich machen, warum er so
geworden, sondern weil derartige Zustände und derartige Per=
sönlichkeiten bezeichnend sind für die moderne Gesellschafts=
entwickelung überhaupt.

Diejenigen Verhältnisse, die der moralisch Gescheiterte in
seinen oben angeführten Worten für seinen Schiffbruch verant=
wortlich macht, würden auch auf einen Charakter wie den
seinen nicht die verheerende Gewalt ausgeübt haben, wenn
seine Widerstandsfähigkeit nicht von vornherein gelähmt
worden wäre durch bestimmte örtliche und zeitliche Einflüsse,

welche die Gegensätze verschärfen und die innere Selb=
ständigkeit auf ungleich stärkere Proben stellen, als in nor=
malen Zeitläufen.

Es handelt sich um den kritischen Zeitpunkt im Leben
eines Volkes, wo eine alte Generation, die ihre Aufgabe
an der Kulturarbeit lange erfüllt hat, abgelöst werden soll
von dem jungen Geschlecht, dem die Zukunft gehört. Wird
der für eine solche Ablösung gegebene richtige Zeitpunkt
verpaßt, d. h. räumt die alte Generation den Posten zu spät
oder zu früh, so bilden sich leicht durch Stauungen und
Stockungen moralische Krankheitsherde, deren Bazillen die
Kulturarbeit eines ganzen Volkes oft auf Generationen hinaus
vergiften und lähmen können.

In einer solchen Lage befindet sich die Gesellschaft, zu
deren Stützen sich die Konsul Bernick und Genossen berufen
glauben.

In eine kleine, enge, nur von Kirchturmrücksichten be=
herrschte, dumpfe Welt, die durch überlanges Verharren in
einem altväterlich=pflanzenhaften Dasein nicht nur Fähigkeit
für höheren Lebensgenuß, sondern auch jede Thatkraft ein=
gebüßt hat, und die uns in den satirischen Szenen des ersten
Aktes, mit einer an Kotzebues „Deutsche Kleinstädter" hier und
da erinnernden derben Anschaulichkeit, bis zur Karikatur verzerrt
vor Augen geführt wird, bringt die neue Zeit mit neuen Ideen
ein und fordert ihr Recht. In einzelnen Köpfen beginnt es
zu tagen, der Blick weitet sich, und in dem Maße, als die
neuen Aufgaben in ihrer Bedeutung und Tragweite erkannt
werden, wecken sie auch die schlummernde Thatkraft. An
Stelle des bisherigen idyllischen Friedens bei völliger Geistes=
stumpfheit tritt eine vielgeschäftige Unruhe, die immer wei=
tere Kreise ziehend, auf den ersten Blick nur erfreulich
und ersprießlich erscheinen mag; aber nur für den oberfläch=
lichen Beobachter, der nicht sieht, daß der neue Wein in alte

Schläuche gegossen wird, ja mehr als das, daß der neue
Wein durch falsche Behandlung von vornherein verdorben
ist. Die Träger der Fortschrittsidee sind teils hohle Phrasen=
helden, deren Worte in fast komisch wirkendem Widerspruche
stehen zu ihren Thaten, richtiger ihrer Thatenlosigkeit,
Drohnen, die wohl laut summen, aber nicht arbeiten —
Typus Hilmar Tönnesen — teils Anbeter des Neuen, weil
es ihnen materiellen Vorteil bringt, einerlei ob es mit ihren
wirklichen oder zur Schau getragenen Gesinnungen und
Lebensanschauungen sich verträgt, — wie die Vigeland,
Rummel und Sandstad —.

Und der Einzige unter dieser Gesellschaft, der fröhlichen
Wagemut, Klugheit und Thatkraft mitbringt, der durch seinen
kräftigen Unternehmungsgeist auch die Trägen und Wider=
spenstigen mit sich fortreißt, er ist bei Licht besehen auch
nur eine Scheingröße. Bei allem zur Schau getrage=
nen Mut, mit dem er Vorurteilen Trotz bietet, doch im
Innersten feige, weder fähig noch willens für eine an und
für sich als richtig erkannte Sache aus Überzeugung ein=
zutreten, wenn diese Überzeugung nicht den herkömmlichen
Gesellschaftsbegriffen entspricht, ein Sklave der öffentlichen
Meinung. Ein Mann der Kompromisse, dem, von Hause
aus sittlich oberflächlich, Grundsätze nur soviel gelten, als
der bürgerliche Ruf sie fordert, und das Geschäft keinen
Schaden darunter leidet. Ein Mann, der infolgedessen auch
die Fortschrittsgedanken, als deren glänzender und siegreicher
Vertreter er in seinem Kreise erscheint, ebenfalls nur ganz
oberflächlich aufgegriffen, nicht wirklich innerlich verarbeitet
hat, der daher auch außer stande ist, wirklich im großen
Stil zu bauen: ein Maurer, aber kein Baumeister. Wohl hat er
Recht, wenn er betont, nur dadurch, daß er in diesen Kreisen
seinen hochfliegenden Plänen die Flügel habe stutzen müssen,
weil diese impotente Gesellschaft seine eigentlichen Absichten gar

nicht würde verstanden haben. habe er sich in ihr behaupten
können, aber er übersieht dabei, daß die Schuld an diesem
Mißerfolg nicht jene allein tragen. Er ist klug genug zu
erkennen, daß die Menschenkraft, wo es irgend geht, zu ersetzen
ist durch Maschinen, aber daß die dadurch frei gewordenen
Menschenkräfte nun auch anders verwertet werden müssen und
können, daß die neuen großen Kulturaufgaben, zu deren
Wortführer er sich macht, auch neue Menschen fordern und
voraussetzen, soll der Segen nicht zum Fluch werden, das
ist ihm nicht aufgegangen.

So ist er der Lage, die er selbst geschaffen, ebensowenig
gewachsen, wie jene rückständigen Elemente der Gesellschaft,
mit deren Widerstand er zu kämpfen hat. Er ist in seiner Art
ebenso beschränkt und kurzsichtig, wie sein Schiffsbaumeister,
der die Lage der Arbeiter dadurch verbessern will, daß er
ihnen Reden hält über den Schaden, den sie durch die neuen
Maschinen haben würden. Und auch darin gleicht er jenem
kurzsichtigen Reformer, der unfähig ist, über den Kreis der
Vorteile und des Schadens, die der Augenblick bringt,
hinauszublicken, daß er vor die Wahl gestellt, gegen seine
bessere Überzeugung zu handeln, oder auf seinen persönlichen
Vorteil zu verzichten, sich unbedingt für das erstere ent=
scheidet. Ihm wie jenem gilt es als das Höchste, die Stel=
lung nach außen um jeden Preis zu wahren. Nur daß der
einfältige Arbeiter, bei dem es sich in diesem Falle um sein
ganzes Dasein handelt, entschuldbarer erscheint als sein
Brodherr.

Ebenso erscheint auf der anderen Seite das einfältige
Pharisäertum des guten Pastor Rörlund, dessen Kindlichkeit
oft ins Kindische ausartete, der ohne jede Menschenkenntnis
und ohne Lebenserfahrung doch für alle Fragen des Lebens
eine fertige Formel und Antwort immer bereit hat, der nur
nach der Außenseite der Dinge urteilt und völlig unfähig ist,

sich über den Bannkreis anerzogener Vorurteile hinwegzu=
setzen, der aber doch in all seiner Beschränktheit, in all seinem
pharisäischen Eigendünkel den ernsten Willen hat, ehrlich zu
sein gegen sich und andere, in einem milderen Licht als der
nackte Egoismus des weltklugen Neuerers Konsul Bernick.

Das ist das Bild der Gesellschaft, die geschützt werden
soll. Difficile est satiram non scribere.

In der That eine schärfere Satire all der tönenden
Redensarten von Fortschritt der Menschheit und Völkerglück
ist nicht denkbar, eine Satire, die um so tiefer wirkt, weil
sie mit großartiger Unbefangenheit jedem gerecht wird und
keinen verschont, eine Satire, die völlig tendenzlos ist, und
doch oder gerade deshalb trifft wie ein Peitschenschlag.

Eine Satire der Gesellschaft, die sich aber zugleich ver=
tieft und verinnerlicht zur Tragödie der modernen Menschheit.

Die Gesellschaft ruht auf der Familie, ist daher die
Gesellschaft krank und verdorben, so muß die Schuld, der
tiefere Grund in der Familie zu suchen sein, und da die
Familie aus einzelnen Individuen besteht, spitzt sich am
letzten Ende die Anklage gegen die Gesellschaft zu in eine
Untersuchung und Anklage gegen jedes einzelne Mitglied
dieser Gesellschaft, das dadurch, daß es diese Gesellschaft
stützt, ein Verbrechen an sich, an der Menschheit begeht.
Und durch diese Stellung des Problems ist zugleich auch der
Gesichtspunkt für die künstlerische Gestaltung gegeben, der
dramatische Hebel gefunden, der uns in einem typischen Fall
ansetzend das Allgemeine veranschaulicht.

Auf diesem sozialen Hintergrunde spielt die Familien=
tragödie des Hauses Bernick sich ab.

Sie hat begonnen in demselben Augenblick, wo Karsten
Bernick in den Augen seiner Mitbürger durch ein „muster=
gültiges Familienleben und durch seinen tadellosen mora=

lischen Wandel" anfing, „mit leuchtendem Beispiele voran-
zugehen".

Denn die Grundlage dieses Familienlebens ist die Lüge.
Mit einer Lüge hat Karsten Bernick um seine Frau ge-
worben, mit einer Lüge hat er den Grund seines bürgerlichen
Wohlstands gelegt. Durch die Lüge ist er Schritt für Schritt
auf die Bahn des Verbrechens gedrängt, der Heuchler wird
zum Verleumder, der Verleumder zum Mörder. Daß dann
im letzten Augenblick dieser Mord nicht zur Ausführung
kommt, ist für die psychologische Schuldfrage ohne Belang.
Aber von gewaltiger tragischer Ironie ist, daß in demselben
Augenblick, wo sein Gewissen ihn als Mörder verdammt,
ihn die bürgerliche Gesellschaft, der zu Liebe er gesündigt
hat, durch den Mund des Pastor Rörlund als „Grund-
pfeiler" dieser Gesellschaft feiert.

Die zweite große tragische Ironie liegt darin, daß der
sittliche Läuterungsprozeß im Helden herbeigeführt wird durch
die Persönlichkeiten, die die Gesellschaft als unmoralisch und
verworfen ausgestoßen hat und zwar nicht bloß, weil sie, wie
bei Johann Tönnesen, sie eines Verbrechens — Ehebruch und
Diebstahl — schuldig hält, sondern ebenso sehr, weil sie dem
Vorurteil Trotz bietend ihren eigenen Weg gegangen sind,
wie Lona Hessel. Eine tragische Ironie, die an Schillers
Räuber erinnert; auch dort sind es die von der Gesellschaft
Geächteten, in deren Hand schließlich das Richteramt gelegt
wird über den Verleumder und Vatermörder Franz. Aber
während diese den Schuldigen zwingen, zur Sühne seines
Verbrechens das Schwert wider sich selbst zu zücken, verwandelt sich hier unter den Händen das Racheschwert in einen
Rettungsanker. Der Schuldige wird nicht bestraft, sondern
befreit durch die Erkenntnis seiner Schuld, die ihn freimacht
von der Lüge, von der Lüge vor sich selbst, von der Lüge vor
andern: „Die Wahrheit ist bis heute in dieser Gesellschaft

durchgängig und in allen Verhältnissen obdachlos gewesen. Die neue Zeit, von der wir reden und träumen, ist und bleibt ein Phantom, so lange wir uns nicht die Wahrheit zu eigen machen." Also ein neues Leben in der Wahrheit. Wahr gegen sich selber, wahr gegen Andere. Aus der Wahrheit kommt die Freiheit, und aus ihr allein. Wer sich selber treu ist und nur der Wahrheit dient, der ist auch innerlich frei, und nur solche innerlich freien Menschen sind es, auf die die Gesellschaft sich stützen kann und soll. Zu dieser inneren Freiheit ringt sich Bernick selbst im letzten Akt durch, als er, obwohl die Beweise seiner Schuld vernichtet sind, aus freier Entschließung, nur von seinem Gewissen ge- trieben, vor seinen Mitbürgern sich des Eigennutzes, der Menschenfurcht und der Lüge zeiht und offen aufdeckt: „so schwach, so falsch. so feig war ich, den Ihr für stark, ehrlich und mutig hieltet. Ich will heraus aus der Verlogenheit um jeden Preis, mag ich bei Euch durch das Geständnis verlieren oder gewinnen."

Ich sagte vorhin, Ibsens Drama beginnt als Satire und vertieft sich dann zur Tragödie. Genau genommen müßte ich aber sagen, im letzten Augenblicke verflacht es sich zum rührenden Schauspiel. Das Gewitter, das sich drei Akte lang über den Häuptern der Helden dräuend zusammen- gezogen, das immer näher rückte, und dessen Donnergrollen am Beginn des vierten Aktes das Nahen einer unabwendbaren Katastrophe zu verkündigen scheint, in der der Blitz das Haupt der Schuldigen zerschmettert, löst sich plötzlich in einen sanf- ten, milden Regen auf; ehe man sich's versieht, sind all die schwarzen Wolken zerstreut, als wären sie nie dagewesen, und der blaue Himmel lacht schöner als je zuvor.

Ich habe absichtlich bisher vermieden, auf dramaturgisch= ästhetische Fragen einzugehen und mich ausschließlich auf die Beleuchtung des sozial=ethischen Problems, das in dieser

Dichtung aufgeworfen ist, beschränkt, aus dem einfachen Grunde, weil es in diesem Stücke thatsächlich die Haupt= sache ist und dann auch, weil damit überhaupt das große Thema angeschlagen ist, das, in den mannigfaltigsten Varia= tionen, in allen folgenden Stücken wieder anklingt. Wie wir denn auch in der Folge noch manches Mal auf die in den Stützen der Gesellschaft enthaltenen Vorkommnisse für spätere Motive und Gestalten zurückkommen werden.

Aber gleichwohl drängen sich auch in diese Erörte= rungen unwillkürlich schon ästhetisch=dramaturgische Betrach= tungen, die, wie die letzte zugleich eine Kritik der künst= lerischen und technischen Arbeitsleistung enthalten.

Es ist kein Zweifel, Ibsen steht hier noch nicht auf der Höhe weder im Aufbau der Handlung, noch in der Charakter= zeichnung, noch in Sprache und Stil.

Um mit dem letzteren zu beginnen: Eine Eigenschaft seines Stils, die er gerade in seinen späteren Dramen bis zur höchsten Meisterschaft entwickelt hat, daß nämlich seine Personen nie durch ein Wort, ein Mine, eine Bewegung verraten, daß sie auf dem Theater sind, und daß ein Pub= likum da ist, das ihnen zuhört und zusieht, ist wohl in einzelnen Szenen schon zu spüren, im großen und ganzen aber noch unentwickelt. Es ist noch ein Dialog mit zwei Fronten, mit unterstrichenen Stellen, d. h. solchen, die nur für das Publikum, oder jedenfalls mehr für dieses berechnet sind, und die namentlich im letzten Akt sich häufen.

Auf ähnliche Unterstreichungen stoßen wir auch bei der Einführung und Zeichnung der Charaktere; sie treten gleich= sam mit einem Leitmotiv auf, das ihre geistigen und sitt= lichen Fähigkeiten und Eigenschaften sofort enthüllt, und das sie bei jedem Wiederscheinen wieder anschlagen und zwar meist recht geräuschvoll.

Das gilt vor allem von den satirischen Figuren und Szenen, in denen durch den dicken Farbenauftrag manche witzige und richtige Beobachtung zur Karrikatur verzerrt ist. Feines und Grobes ist noch wahllos mit einander verknüpft.

Auf der anderen Seite freilich ist bei einigen Charakteren und zwar fast ausschließlich den weiblichen, schon hier eine gedrungene Sinnfülle erreicht, die mehr und mehr das Merkmal Ibsenscher Kunst werden sollte. Ich denke an Gestalten, wie Frau Bernick, den Typus jener guten, wunschlosen Frauen, deren Leben erst durch den Mann Licht und Inhalt erhält, auch wenn dieser Mann selbst in diesem Verhältnis nur Empfänger und nicht Geber ist; wie Martha, den Typus der geborenen Einsamen, mit der großen, tiefen Sehnsucht nach Freiheit nnd Schönheit im Herzen, aber mit gelähmten Schwingen: „ach wie leiden wir hier unter dem Fluch des Herkommens und der Gewohnheiten", die verbraucht wird ohne Dank von der Gesellschaft, und, ohne jede Spur von Weichlichkeit, in wortloser Güte ihr Leben zum Opfer bringt für die, die sie lieb hat, tapfer und treu; und vor allem auch Lona, aus gleicher Grundstimmung, aber aus viel derberem Holz geschnitzt, eine Kampfnatur, doch ohne jede Spur von Egoismus, herb, derb, furchtlos, stark in Liebe, aber auch stark im Haß. Nichts ergreifender, als die kleine Szene, in der die beiden einsamen, verblühten Mädchen sich gegen einander bekennen zu der Liebe, die niemand ahnt und niemand schätzt.

Und zwischen ihnen, den beiden Fertigen, die mit den Wünschen fürs Leben abgeschlossen haben, die gärende, sehnende, haltlose Jugend Dinas, der Typus der neuen Frau, die aufgewachsen ist in der Vorstellung „Schön ist etwas, das groß ist und weit weg," und die daraus die Schlußfolgerung zieht und die erste Gelegenheit benutzt, um die Brücke hinter sich abzubrechen, um draußen etwas zu werden; die nichts

versprechen will, weil Versprechen bindet und die dem Mann
erst angehören will, wenn sie etwas ist für sich: „Ich will
nicht eine Sache sein, die man einfach an sich nimmt" . . . .
Alle diese Gestalten sind jede in ihrer Art von einer schlichten
Größe und Selbstverständlichkeit, nie, mit einziger Ausnahme
vielleicht von Lona — mit einem Wort oder einer Geberde
aus dem Kreis des Bodens heraustretend, in dem sie wurzeln,
die allein für die Psychologie des modernen Dramas eine
neue Welt erschloß.

Dem gegenüber stehen die männlichen Charaktere nicht
ganz auf der Höhe. Von der Hauptfigur Karsten Bernicks
abgesehen, die in ihrer eigentümlichen Mischung von feurig
fortstürmender Thatkraft und gleichzeitiger sittlicher Trägheit,
die fast den Charakter einer moral insanity trägt, einen
modernen Typus darstellt, den wir alle leider genau kennen,
und der, wenn wir die rhetorische Schlußwendung aus=
nehmen, durch seine innere Wahrheit zugleich erschreckt und
Staunen erregt, vermissen wir gerade diese Geschlossenheit
bei anderen. Rörlund, der Pastor, berührt wie eine nur
halbausgeführte Skizze. Bis zum Schluß des dritten Aktes
in seiner Weltanschauung und Lebensführung ganz folgerichtig
und überzeugend, verliert er plötzlich im vierten den festen
Boden unter den Füßen und erscheint als Wortführer der De=
putation, in einer Rolle, die wohl, gerade weil der Pastor
das Wort führt, die Situation theatralisch ungemein wirksam
macht, die aber seinem innersten Wesen nicht entspricht. Er
wird da vom Dichter ebenso als Schachfigur behandelt, wie
es von Anfang bis zu Ende mit Johann Tönnesen der Fall
ist, der auch in den Szenen, wo er zu Worte kommt, nicht
recht zu einem eigenen inneren Leben erwacht, der vielmehr
Objekt bleibt bis zum Schluß, Objekt Bernicks, Objekt Marthas,
Objekt Lonas, Objekt Dinas; weil er da ist, thun oder
leiden diese Personen etwas, und deshalb erweckt er Interesse,

von ihnen losgelöst, ist er uns aber völlig gleichgültig. Da ist sein Vetter Hilmar ein anderer Gesell. Allerdings ist auch er uns innerlich völlig gleichgültig, aber nicht weil er nicht individuell lebendig genug gezeichnet ist, sondern im Gegenteil. Dieser neurasthenische Phrasenbrescher ist von einer so unheimlichen Lebendigkeit, daß er, wenn er auch nur als Reflex- und Gegensatzfigur verwendet wird, doch durch die erschreckende Natürlichkeit seiner moralischen Krankheitsmerkmale ein psychologisches Interesse immer wieder erregt.

Wenn wir aber so zu dem Schluß kommen, daß in diesem Drama die weiblichen Charaktere an innerer Lebenswahrheit und künstlerischer Durchführung die männlichen überragen, so ist, wenn wir die moralischen Eigenschaften, die die beiden Geschlechter hier entwickeln, gegeneinander abwägen, das Verhältnis für die Männer noch viel ungünstiger. Was an sittlicher Energie, an Uneigennützigkeit, an Treue hier geleistet wird, wird alles von den Frauen geleistet. Und so hat Karsten Bernick doch nicht so unrecht, obgleich ihm Lona widerspricht, wenn er unter dem überwältigenden Eindruck dessen, was er in diesen Stunden erfuhr, in die Worte ausbricht: „Ihr Frauen, Ihr seid die Stützen der Gesellschaft."

Die neue Frau in der neuen Gesellschaft, das ist das große Thema, das hier nicht zum ersten Mal angeschlagen wird; es klingt bald laut, bald leise als Begleitakkord in wechselnden Rhythmen und wechselnden Tonarten durch das ganze Stück. Von Pastor Rörlunds erbaulicher Vorlesung aus dem erbaulichen Buche mit dem erbaulichen Titel: „Die Frau als Dienerin der Gesellschaft", das ihm weiter Gelegenheit zu einer so erbaulichen Ansprache giebt, in der er seine Zuhörerinnen als Mithelferinnen bei dem Werke, die „Moralisch Verkommenen", die Verwundeten auf dem sozialen Schlachtfeld wieder gesund zu machen, als „Diakonissinnen und barmherzige Schwestern, die Charpie zupfen für die unglücklich Verstümmelten", begeistert und begeisternd auf=ruft, bis zu der schroffen Kritik Lona Hessels am Schluß: „Eure Gesellschaft ist eine Gesellschaft von Hagestolzen. Ihr seht die Frau nicht."

Rörlund, wenn er das hörte, würde sicher sofort Protest dagegen einlegen, und von seinem Standpunkt aus mit Recht. Er und viele mit ihm, die anders als Karsten Bernick, der in der That die Frau bisher nicht gesehen hat, über die Stellung der Frau in der Gesellschaft anders denken, die ein großes Gewicht auf ihre Mitarbeit legen, werden diesen Vorwurf mit Entrüstung zurückweisen. Aber damit ist er nicht aus der Welt=geschafft, vielmehr geht aus der Zuspitzung dieser Gegensätze klar hervor, daß die Frauen, oder jedenfalls ein Teil von ihnen, mit der Rolle nicht mehr zufrieden sind, die ihnen diese Gesellschaft, die im besten Falle eine Gesellschaft von wohlwollenden Hagestolzen ist, zuteilt. Und genau so wie der vierte Stand seiner Ar=beitsleistung entsprechend einen größeren Anteil an dem materiellen Ertrag dieser Arbeit glaubt beanspruchen zu dürfen, erhebt die Frau die Forderung nicht als Untergeordnete, sondern als Gleichgeordnete, nicht als Diener, sondern als Kamerad, auf einen größeren Anteil an dem ideellen Ertrag der gesellschaftlichen Kulturarbeit. Und sie erhebt diese For=derung nicht nur da, wo sie sich als Einzelne in ihrer Berufs=arbeit ihren selbständigen Platz erkämpft, weil sie muß, sondern auch da, wo sie mit dem Mann verbunden als Gattin und Mutter mit ihm zusammen eine ganz bestimmte Bildungsaufgabe zu lösen hat.

Weil aber in dieser letzten Stellung, teils infolge lähmen=den Schlendrians, teils der Gleichgültigkeit eines großen Teiles der Männer gegen eine derartige Auffassung höherer und innigerer geistiger Gemeinschaft in der Ehe, die Durchsetzung

Litmann, Ibsen.   3 der Persönlichkeit ungleich schwieriger ist, als in den Fällen, wo die Frau sich allein ihren Weg suchen muß, so ist die erste Vorbedingung für die Erfüllung dieses Wunsches, daß die Frau bereits in die Ehe tritt, als in diesem Punkte fertige Persönlichkeit, die etwas ist für sich. Aus diesem Gefühl heraus sagt in den „Stützen" Dina zu ihrem Verlobten: „Ja, ich will die Ihre sein. Doch erst will ich arbeiten, selber etwas werden — so wie Sie. Ich will nicht eine Sache sein, die man einfach an sich nimmt."

Daß ihr diese Erkenntnis zu spät tagt, das ist das tragische Verhängnis im Leben Nora Helmers.

II. Ein Puppenheim.

Mancherlei Fäden laufen von Dina Dorf zu Nora. Vieles was Dina sagt, könnte Nora auch sagen und umgekehrt. Und manches, was Nora nachmals thut, hätte Dina auch thun können, wenn sie ebenso unfertig wie jene, als sie Helmers Frau ward, sich in die Hände eines Mannes wie Rörlund gegeben hätte, der ihrem unwillkürlich sich gegen alles Konventionelle empörenden, teils durch angeborene Gemütsart, teils durch Erziehung bedingten Unabhängigkeitssinn und Freiheitsdrang, der sich bis zum Haß gegen die Wohlanständigkeit und alles was damit zusammenhängt, steigert, nichts hätte entgegensetzen können als gutgemeinte, gerade zur Lenkung und Zähmung einer solchen Natur ganz ungeeignete, angelernte und abgestandene Redensarten.

Aber es laufen auch noch andere Fäden zwischen den beiden Stücken.

In Noras Mann stecken nicht nur Züge von Rörlund, sondern mehr noch von Bernick. Die Versuchung, der Bernick als junger Mann erlegen, und deren Folge als Lüge sein ganzes Leben vergiftet, die Schuld, aus der ihn der Dichter sich vor unseren Augen befreien läßt, die tritt an Helmer in einem späteren Lebensabschnitt heran. Wir werden Zeuge, wie er in seiner wohltönenden moralischen Unantastbarkeit in dem Augenblick schmählich zusammenbricht, wo an dieselbe

3*

Stelle gerührt wird, die Bernicks Fall herbeiführte, weil
seine Moral kein Ergebnis persönlicher Überzeugung, sondern
lediglich auf dem Nützlichkeitsgrundsatz, wonach alles zu
meiden ist, was dem guten Namen schaden kann, aufgebaut
ist. Nur daß Helmer schließlich, trotzdem er weder zum
Verleumber noch zum Mörder wird, bei der sittlichen
Schlußabrechnung erheblich ungünstiger wegkommt, als
Bernick. Denn das starke, thatkräftige Temperament, ein
gewisser Zug zur Größe, der Bernick in all seiner Schwäche
nicht abzusprechen ist, und der ihn über die Gesellschaft,
in der er lebt, emporhebt, Alles das fehlt Helmer, der
nur der Typus des ganz konventionellen, beschränkten
und in seiner moralischen Beschränktheit höchst eingebildeten,
korrekten Menschen ist, und der darin wieder mehr an Rörlund
erinnert.

Aber auch insofern laufen Fäden zwischen dem Hause
Bernicks und Nora und Thorvald Helmers, als das Wort, das
Lona Bernick entgegenhält, als er sich beklagt, daß seine
Frau ihm nicht das geworden, „dessen ich so sehr bedurfte":
„Weil du nie die Aufgabe deines Lebens mit ihr geteilt",
das Wort, das hier nur einen der Konfliktspunkte im Leben
Bernicks streift, für das Schicksal Noras und ihres Mannes,
den eigentlichen Keim des Verderbens aufdeckt, das Thema
einer Familientragödie, die sich im wesentlichen zwischen
zweien abspielt. Während es sich dort um eine große Anklage
gegen die moralischen Grundlagen der Gesellschaft handelt,
gegen die vom Standpunkt der öffentlichen Sittlichkeit auf
öffentlichem Markt Widerspruch erhoben wird, wird hier bei ver-
schlossenen Thüren verhandelt, läuft es auf eine moralische Abrechnung zwischen Mann und Frau hinaus; ein Fall, der dadurch wieder mittelbar zu einer Kritik der Gesellschaft wird,
weil beide Gestalten und der aus ihrem Zusammenleben
sich ergebende tragische Konflikt ihrerseits wieder typisch

sind für die Gesellschaft. Und eben deshalb ist auch der individuelle Fall, um den es sich hier handelt, der besondere dramatische Konflikt, den wir hier aus Noras Fälschung und dann aus dieser Fälschung sich für sie und ihren Mann der Außenwelt gegenüber — Frau Linde, Krogstad — ergebenden Folgen herauswachsen und ihre Gemeinschaft mit Helmer untergraben sehen, vom rein psychologischen Standpunkt aus etwas verhältnismäßig Nebensächliches und hat keine weitere Bedeutung, als irgend ein elementares Ereignis, ein Sturm, der eine reife Frucht vom Baume wirft; so bedeutsam, gerade technisch, dieser Aufbau der Handlung als Kraftprobe des Dramatikers erscheint.

Seltsam genug aber ward gerade in dieser Hinsicht das „Puppenheim", als es vor 20 Jahren auf der deutschen Bühne erschien, trotzdem in Berlin die Niemann-Rabe in der Darstellung der Nora eine Meisterprobe psychologischen Feingefühls ablegte, vom Publikum und in fast noch höherem Grade von der Kritik gröblich mißverstanden. Beide waren so sehr an das die dramatischen Konflikte nur von der Oberfläche der sozialen Erscheinungen abschöpfende Verfahren, wie es vor allem bei den Franzosen Brauch war, gewöhnt, daß sie das in diesem Kern einer stark bewegten, dramatisch spannenden Handlung eingeschlossene sittliche Problem entweder ganz übersahen oder jedenfalls in seiner tieferen Bedeutung verkannten.

Es gab eine ganze Reihe Kritiker, die ernsthaft zu beweisen suchten, daß die Frau Nora Helmer sich in der That ganz unverantwortlich leichtfertig benommen habe, und daß ihr Mann der Herr Rechtsanwalt, daher vollkommen in seinem Recht sei, wenn er dieser, übrigens ja von Haus aus verlogenen, Person einmal den Standpunkt klar mache, wie gröblich sie sich vergangen, und daß hingegen es Madame sehr wenig zieme, sich diesen begründeten Vorstellungen gegenüber so aufs hohe Pferd zu setzen und zu thun, als ob man ihr zu

nahe getreten sei; daß die Person dann schließlich, statt in
sich zu gehen, gar davon laufe und Mann und Kinder ein=
fach im Stiche lasse und daß der Dichter damit ganz einver=
standen zu sein scheine, das sei dann der Gipfel der Thorheit.
Und es war ungeheuer bezeichnend, daß der einzige namhafte
Vertreter der älteren Generation, der meines Wissens offen für
das Drama eintrat, insofern er die psychologische Folgerichtigkeit
der Handlung und die innere Wahrheit der Charaktere nach=
zuweisen suchte, diese nur dadurch retten zu können meinte, daß
er erklärte, Nora sei „überhaupt gar kein Drama, sondern
ein paar dialogisierte Kapitel des dritten Bandes eines
Romanes"[1]), und aus diesem Fehlgreifen des Dichters in der
Form seien all die schiefen und so weit auseinandergehenden
Urteile zu erklären.

Schon hieraus erhellt, daß die Schwierigkeiten, die sich
dem Verständnis entgegenstellten, gleicherweise aus der Wahl
des Stoffes wie aus der besonderen künstlerischen Formgebung
sich ergaben, daß in Beiden etwas Neues in die Erscheinung
trat, das in seiner inneren Berechtigung und auch in seiner
Tragweite ein großer Teil des Publikums noch zu würdigen außer
Stande war. Denn wenn auch Spielhagen darin Recht hatte,
daß er einen Teil der Schuld an dem Versagen des Ver=
ständnisses der fremdartigen, ungewöhnliche Anforderungen
an die Auffassungskraft der Zuschauer stellenden, Form zu=
schob, so befand doch auch er sich im Irrtum, wenn er sie
allein darin suchte und deshalb diese Art der künstlerischen
Gestaltung an sich als verfehlt und undramatisch bezeichnete.

  In Wirklichkeit hat sich Ibsen im „Puppenheim" für
den Aufbau der Handlung eines Verfahrens bedient, das
an sich in der dramatischen Litteratur nicht neu war,

---

[1]) „Drama oder Roman", vgl. Spielhagen, Beiträge zur Theorie
und Technik des Romans 1883 S. 297 ff.

und dem wir, vom antiken Drama abgesehen, gelegentlich bei Kleist und bei Hebbel begegnen, das aber dadurch, daß es einmal auf einen, auf besonders zarten psychologischen Voraus= setzungen beruhenden Konflikt angewandt wurde und dann da= durch, daß Ibsen in der Enthüllung seelischer Stimmungen sich einer ungleich größeren, wie Zurückhaltung wirkenden Gedrängt= heit des Ausdrucks, als man im Drama gewöhnt war, bediente, auf die Menge befremdend, verwirrend, abstoßend wirkte.

Um Nora zu verstehen, muß man ihre Vorgeschichte kennen, und diese Vorgeschichte erfahren wir im Stück selbst in einer Reihe von kleinen, gesprächsweise eingestreuten Er= innerungsstückchen, deren Bedeutung für das Gesamtcharakter= bild nicht jedem gleich beim ersten Hören aufgeht, und die ihrerseits wieder dazu dienen, an und für sich scheinbar be= langlose Züge und Äußerungen, deren Zeugen wir auf der Szene werden, in ein Licht zu rücken, das Vergangenes und Zukünftiges gleicherweise erhellt. Im Gegensatz zu jenen Unterstreichungen, die wir bei den „Stützen“ noch beobachteten, bedeuten hier manche Worte viel mehr, als sie zu sagen scheinen, sie umschließen einen charakterisierenden Kern, der sich unserem Bewußtsein in seiner eigentlichen, tieferen Bedeu= tung erst allmählich erschließt.

Wer lacht z. B. nicht über Noras geheimnisvollen Wunsch im ersten Akte: „Ich möchte so riesig gern etwas sagen und Thorvald müßte es hören“, und der darin besteht: „Ich möchte so riesig gern sagen ‚Himmelkreuzdonnerwetter‘.“ Er wird zunächst von uns, ebenso wie von den beiden auf der Bühne, nur aufgenommen als die Eingebung einer burschi= kosen Laune, die rein komisch wirkt. Und doch liegt in diesem Worte einer der Schlüssel zu Noras Wesen, einer der Schlüssel für die Tragödie ihrer Ehe.

In den „Stützen“ sagt Dina ein ganz ähnliches Wort, das aber dort sofort verstanden wird, einmal weil wir vor=

her über Dinas Herkunft wie Charakter und die sittliche
Atmosphäre, in der sie im Bernick'schen Hause lebte, aufgeklärt
sind und dann auch, weil die gedrängte Kürze fehlt: „O
könnt ich nur weg, weit weg; ich würde mich schon selber
fortbringen, wenn ich nur nicht unter Menschen lebte, die
so — so — — — so anständig und moralisch sind."
Es ist etwas in ihr, was sich gegen diese Dulbsamkeit
und Wohlanständigkeit sträubt, die sie nicht zu sich selber
kommen läßt, die ihr jeden Augenblick zu Gemüte führt: du
bist zwar von Hause aus leichtsinnig, aber wir bulden deine
Schwäche, wir tragen dich und suchen dich durch unseren
moralischen Dunstkreis zu läutern.
In fast der gleichen Lage befindet sich Nora ihrem
Manne gegenüber; zwar ist sie keine Ausgestoßene, im Gegen=
teil, sie ist von Kindertagen an der Verzug gewesen, erst
ihres Vaters, dann ihres Mannes. Aber alles, was in ihr
an Ursprünglichkeit des Empfindens, Aufopferungsfähigkeit,
Entsagungsfreudigkeit unerzogen, unentwickelt und ungebän=
digt gärt, ist weder von dem einen noch dem andern
gewürdigt worden; und soweit es überhaupt bemerkt wor=
den ist, weil es in seiner impulsiven Zügellosigkeit wider
die Wohlanständigkeit verstößt, von ihrem korrekten Gatten
Thorvald nur mit Geringschätzung und Unbehagen betrachtet
und als etwas zu Unterdrückendes behandelt worden. Auch
sie hat, freilich ohne sich darüber klar zu werden, von Kindheit
an darunter gelitten, wie Dina, daß man sie so behutsam
angefaßt hat „als ob sie zerbrechlich wäre", und während sie
Vater und Gatte auf den Händen trugen und sich etwas
darauf zu Gute thaten, sie in der tändelnden Kindlichkeit zu
erhalten, die ihnen gefiel, ist ihr die eigentliche Liebe, die
auf gegenseitigem Verständnis beruht, versagt geblieben. „Euch
machte es nur Spaß, in mich verliebt zu sein," sagt sie bitter
aber zutreffend im vierten Akt zu Helmer.

Jeder Keim eines selbständigen Willens, einer selbständigen Persönlichkeit ist im Entstehen unterdrückt worden durch entnervende Liebkosungen, die in der Überzeugung von der sittlichen und geistigen Minderwertigkeit der Frau ihren Grund hatten: „Als ich zu Hause bei Papa war, teilte er mir alle seine Ansichten mit und so bekam ich dieselben Ansichten. War ich aber einmal anderer Ansicht, so verheimlichte ich das. Denn es wäre ihm nicht recht gewesen. Er nannte mich sein Puppenkind, er spielte mit mir, wie ich mit meinen Puppen spielte." Und als sie dann, wie sie mit grauenhafter Bedeutsamkeit es ausdrückt, zu ihrem Mann „ins Haus kam," da ist es ebenso geblieben, „ich ging aus meines Vaters Händen in deine über. Du richtetest alles nach deinem Geschmack ein, und so bekam ich denselben Geschmack wie du; oder that ich nur so, ich weiß es nicht mehr genau. Ich lebte davon, daß ich dir Kunststückchen vormachte. . . . Unser Heim war nichts anderes als eine Spielstube. Hier war ich deine Puppenfrau, wie ich zu Hause Papas Puppenkind gewesen." Und so ist es gekommen, daß sie in all den Jahren ihrer Ehe „wohl lustig, aber nie glücklich" war."

Aber während im Hause des Vaters seine Auffassung von ihrer geistigen Minderwertigkeit ihr beiderseitiges Verhältnis bestimmte und herabdrückte, ist im Hause des Mannes ihr Verhältnis zu diesem noch durch etwas anderes gedrückt, ja im Keime vergiftet worden. In den Augen Thorvalds, dieses Urbildes des korrekten Mannes, der in Geldsachen von peinlichster Genauigkeit ist, hat sie von Anfang an auch als moralisch minderwertig gegolten. Sie ist sittlich belastet, sie hat den Leichtsinn ihres Vaters geerbt. Doppelter Grund für den Trefflichen, sich seiner sittlichen Überlegenheit und zugleich seiner Seelengröße, die solche Schwäche trägt, zu freuen, und um so peinlicher und ängstlicher jede Regung einer selbständigen Natur zu ersticken.

So ist sie als Frau und Mutter geblieben, was sie als Kind und Mädchen gewesen, ein Mensch mit starken sittlichen Trieben, aber dem jeder Halt einer aus eigener Kraft gewonnenen Einsicht in den Kreis ihrer Rechte und ihrer Pflichten, vor allem der sozialen, fehlt. Ihr angeborenes Pflichtgefühl ist nur auf die Familie und die Menschen, die sie persönlich liebt, beschränkt. Für diese ist ihr kein Opfer zu groß, und zwar nicht nur in augenblicklichen Gefühlswallungen, sondern in stiller, jahrelanger, an persönlichen Entbehrungen reicher Arbeit. Hier entwickelt die Frau, die in kindischer Naschhaftigkeit sich nicht bezähmen kann und ohne den geringsten Skrupel ihren Mann anlügt, eine Willenskraft und eine stille Größe, die weit über das Maß des Gewöhnlichen hinausgeht, aber zugleich auch eine Gleichgültigkeit gegen ihre sozialen Pflichten, die man verbrecherisch nennen müßte, wenn sie „wüßte, was sie thut.“

Wenn sie so durch ihre Erziehung oder Nichterziehung nie über den Standpunkt des Schulmädchens hinausgekommen ist, daß eine Lüge, durch die man sich aus einer Verlegenheit hilft, nicht viel schwerer ins Gewicht fällt, als ein Sprung über einen Graben, und sie infolgedessen Mann, Dienstboten, Kindern gegenüber in aller Unbefangenheit ein vollständiges Lügensystem zur Anwendung bringt, ohne die leisesten moralischen Bedenken, so steht sie der Gesellschaft gegenüber auf dem Standpunkt einer Wilden; die ist ihr gleichgültig, und wenn sie ihr lästig wird in irgend einer Weise, so ist jedes Mittel dagegen erlaubt.

Daß eine Fälschung, auch wenn sie nur guten Zwecken dient, nicht nur rechtlich, sondern auch sittlich verwerflich ist, ist ihr ebenso unverständlich, wie daß eine gegen Fremde eingegangene Verpflichtung ebenso heilig, wie die gegen ihre Nächsten. Wenn Thorvald sie fragt, was denn werden solle, wenn er sich auf sein künftiges hohes Gehalt hin Geld geborgt

hätte und dann vor Antritt des neuen Amtes durch einen
Ziegelstein erschlagen würde, ist ihre einzige Antwort: „Wenn
so was Gräßliches passierte, dann wär mir's gleichgültig, ob
ich Schulden hätte oder nicht." Und auf die weitere Frage:
„Und meine Gläubiger?" „Was gingen die uns an? Das
sind ja fremde Leute!"

Ähnlich wie in den Stützen der Gesellschaft hat keiner,
haben auch die Nächstbeteiligten nicht, eine Ahnung davon,
auf wie schwankem Grunde das Glück dieser Familie auf=
gebaut ist, und wie reif zum Untergange, bis ein Anstoß
von außen mit einem Schlage der Scheinherrlichkeit ein Ende
macht und die innere Leere und Hohlheit dieses Daseins auf=
deckt; zugleich aber an diesem Wendepunkt in der Frau, die
durch ihre Erziehung und Ehe gebundenen sittlichen Kräfte
frei macht und ihr dadurch im selben Augenblick, wo sie
äußerlich in den Augen ihres Mannes am tiefsten gesunken
ist, eine eigentümliche Überlegenheit über eben diesen Mann
giebt, die sie zwingt, sich von ihm zu trennen.

Diese Krise ist es, die uns das Drama vorführt. Wir
verfolgen sie von ihren ersten Vorboten durch alle Stufen be=
ängstigender Entwickelung, durchleben sie mit in der Seele dieser
einsamen, jungen Frau, die den Kampf mit dem Schicksal zunächst
aufnimmt, wie ein trotziges, eigenwilliges Kind, in dem Grade
aber, als die Schatten immer tiefer fallen, in diesen Kampf
auf Tod und Leben hineinwächst, und ein Heldentum eigener Art
entwickelt, das bis zum Schluß etwas rührend Kindliches be=
hält, durch den unerschütterlichen Glauben an das Wunder=
bare, d. h. an ein inneres Erlebnis, das ihrem Dasein einen
Inhalt und der Gemeinschaft mit ihrem Manne eine Größe
und eine Weihe geben soll, die sie mehr instinktiv als bewußt
bisher darin vermißt. „Acht Jahre lang habe ich geduldig
gewartet; denn, du lieber Gott, ich sah ja ein, daß das
Wunderbare nicht wie ein Alltägliches kommen könne. Dann

brach das Verderben über mich herein, und nun war ich unerschütterlich fest davon überzeugt: jetzt kommt das Wunderbare."

In dieser Zeit hat sich die unbestimmte Ahnung und Hoffnung verdichtet zu einer ganz bestimmten Über= zeugung: wenn alles zusammenbricht, wenn ihre Schuld, die sie als sittliche Schuld nicht anerkennt, offenbar wird, dann wird der, dem zu Liebe sie schuldig geworden, nicht nur der Versuchung, Schweigen zu erkaufen, mutig widerstehen, sondern auch „alles auf sich nehmen und sagen, ich bin der Schuldige." „Das war das Wunderbare, worauf ich in Angst und Bangen gehofft habe."

In dem Augenblick, wo dieser Kindertraum in ihr stirbt, wo sie erkennt, daß sie „acht Jahre lang mit einem fremden Manne zusammengehaust", ist das Weib geboren, das vor der Aufgabe steht, sich selber zu erziehen und damit der Entschluß: „Ich muß ganz allein stehen, wenn ich mich mit mir selbst und der Außenwelt zurecht finden soll." Und so seltsam es klingt, in demselben Augenblick, wo sie ihre nächstliegenden Pflichten gegen Mann und Kinder mit einer Gelassenheit, als gälte es ein Armband, abstreift, wo sie mit schroffem Egoismus nur die Pflichten gegen sich selbst anerkennt, ist sie sich der Pflichten gegen die andern Menschen klarer be= wußt als je. Aus dem Bewußtsein aber, daß sie bisher in ihrem Fühlen und Handeln auch den Nächsten gegenüber immer nur von Impulsen sich hat leiten lassen, tagt ihr die Erkenntnis, daß sie, um für andere etwas zu leisten, selber etwas sein muß, und zugleich, daß sie, um über die Pflichten gegen die Familie klar zu werden, sich klar werden muß über die weitern Pflichten gegen die Gesellschaft. Auf Hel= mers Einwand: „In erster Reihe bist Du Gattin und Mutter" erwidert sie: „Das glaube ich nicht mehr. Ich glaube, daß ich vor allen Dingen Mensch bin, so gut wie

Du — ober vielmehr, ich will versuchen es zu werden." Und
auf die hochfahrende Belehrung: „Du sprichst wie ein Kind.
Du verstehst die Gesellschaft nicht, in der Du lebst," ist ihre
Antwort: „Ich verstehe sie nicht, allerdings. Aber jetzt will
ich sie mir näher ansehen. Ich muß herauskriegen, wer Recht
hat, die Gesellschaft oder ich."

In den Stützen der Gesellschaft sucht am Ende der
Mann, der in der Gesellschaft moralisch Schiffbruch gelitten,
Trost und Gesundung in der Familie, bei den Frauen, hier
löst sich die Frau, die im Hause plötzlich den Grund und
Boden aller anerzogenen Anschauungen wanken fühlt, los
von Mann und Kindern und sucht draußen in der Gesellschaft
die neuen Grundlagen eines auf innerer Freiheit beruhenden,
sittlichen Daseins, welche die geistlichen und sittlichen Kräfte,
die in ihr lebendig sind, fruchtbar machen sollen für die
Gesellschaft, für die Familie.

Daß der Mann bei dieser Fragestellung noch schlechter
fährt, als in den „Stützen der Gesellschaft", ist natürlich; und
ebenso, daß bei solcher scharfer Zuspitzung des Problems eine
gewisse Einseitigkeit nicht ganz zu vermeiden war, die dann
wieder die Urteile über die Dichtung in merkwürdiger Weise
beeinflußt und getrübt hat. Man hatte fast den Eindruck,
als ob die Männer sich alle etwas in Thorvald getroffen
fühlten und daher sich gemüßigt sähen, für diesen korrekten
Ehemann und Familienvater eine Lanze zu brechen; die er,
jedenfalls nach dem, was wir bisher von ihm kennen gelernt
haben, nicht wert ist und schwerlich auch trotz der hoffnungs-
vollen Frage am Schluß: „Das Wunderbarste?" verdie-
nen wird.

Wenn aber dagegen, mit den Männern, viele Frauen
gegen Nora und die Berechtigung ihrer Entschließung, Mann
und Kinder zu verlassen Einspruch erhoben haben, so verkennen sie dabei die Absichten des Dichters, der offenbar

hier nicht einen Normalfall veranschaulichen wollte, son=
dern nur zeigen wollte, wie gewisse weibliche Individualitäten
unter bestimmten, aus der modernen Erziehung sich ergeben=
den Verhältnissen in Konflikte hineingeführt werden können,
aus denen sie sich schließlich, so wie sie geartet sind, nicht
glauben, anders retten zu können, als durch die Flucht aus
dem Hause. Nora ist so wenig ein Normaltypus wie seiner
Zeit Werther einer war, wohl aber, wie jener, ein Krankheits=
typus, von dem trotz der klaren Erkenntnis der begangenen
Fehler noch keineswegs sicher ist, ob der Weg, den sie nun
glaubt einschlagen zu dürfen, einschlagen zu müssen, der
richtige ist, der sie wirklich zur Genesung führt. Nicht bloß
typographisch schließt das Drama mit einem Fragezeichen.

Aber daß damit für den Dichter ebensowenig wie für
das Publikum die Debatte geschlossen sein sollte, bewies das
Drama, mit dem er genau zwei Jahre nach dem „Puppen=
heim" an die Öffentlichkeit trat: „Gespenster. Ein Familien=
drama in drei Aufzügen."

III. Gespenster.

Wenn man dem Dichter des „Puppenheim" und seiner Heldin daraus einen Hauptvorwurf gemacht hatte, daß die Frau dort sich von dem Mann trennt, ohne der Pflichten eingedenk zu sein, die sie als Mutter gegen ihre Kinder hat, so gab er hier indirekt eine Antwort, eine Rechtfertigung, warum er so verfahren, indem er das Schicksal einer Frau behandelte, die so gehandelt, wie man von Nora verlangte, die sich opferte um ihres Kindes willen, ja die noch viel weiter gegangen, die einem brutalen, halbvertierten Manne die Treue gehalten, die er ihr gebrochen, und vor der Welt den Schein nicht nur einer harmonischen, sondern auch gerade durch den Mann geadelten Ehe aufrecht erhalten hat. Und auch dieses Drama schloß mit einem Fragezeichen, aber in anderem Sinne, der Frage: Nun gut, was ist mit diesem Opfer, das ihr im Interesse der Sittlichkeit so stürmisch verlangt, erreicht? Seht sie Euch an, diese Frau, diese Mutter, die ihr Leben Mann und Kind zum Opfer gebracht hat, deren Schicksal sich vor Euren Augen vollzieht, ist das nun wirklich das Rechte, das von uns die Gesellschaft, wenn sie nicht ihre wesentlichen Grundlagen preisgeben will, unbedingt fordern muß?

Wenn man das innere Verhältnis, in dem die beiden Dramen „Puppenheim" und „Gespenster" zu einander stehen, so faßt, — und ich glaube, man muß es, es war die Absicht des Dichters, — dann muß man freilich sagen, daß diese Frag=stellung, diese Zuspitzung des Problems auf einen Beweis a contrario der dialektischen Gewandheit eines Advokaten alle Ehre macht, von diesem Standpunkt ein Meisterstreich ist, daß aber bei näherer Prüfung die Beweisführung für den Fall Helene Alving nicht durchschlagend ist für den Fall Nora Helmer. Nicht nur sind dazu diese beiden Frauen=naturen an sich zu verschieden, sondern auch die Situationen, aus denen heraus und unter deren Druck die eine so, die andere so handelt, sind, bei aller scheinbaren äußeren Ähn=lichkeit, zu wenig miteinander vergleichbar. Es ist nicht das Schicksal Noras, wie es sich hätte gestalten müssen, wenn sie dem Pflichtgebot der Mutter in ihr gefolgt wäre, das uns in den „Gespenstern" vor Augen geführt wird, sondern ein anderes Frauenschicksal, das ungleich schwerer, ungleich tragi=scher ist als das jenes childwife, und das viel gewaltiger und viel reiner auf uns wirken würde, wenn wir nicht das Gefühl dabei hätten, daß der Dichter dabei Nebenzwecke ver=folgt, daß Helene Alving für Nora das Wort führen soll.

Vergegenwärtigen wir uns kurz, wie der Fall hier liegt.

Helene hat den reichen Leutnant Alving auf Zureden ihrer Mutter und ihrer Tanten geheiratet, ohne ihn zu lieben, geblendet von seiner äußern Erscheinung, von seinem Gelde, gedankenlos unselbständig und über ihre eigentlichen Ge=fühle, die sie zu dem jungen Pastor Manders hinziehen, noch im Unklaren. Alving ist ein brutaler Wüstling, zügellos in allen seinen Begierden, dabei für die Fernerstehenden der Typus des liebenswürdigen, jovialen Mannes, so daß keiner das Elend dieser Ehe ahnt, außer den engsten Hausgenossen. Nach einem Jahr kann die junge Frau den Zustand nicht ertragen, sie flüchtet sich bei Nacht und Nebel aus dem Hause des Gatten und sucht Rettung und Halt und Rat bei dem

Paftor, ihrem Hausfreunde, nicht weil er Geiftlicher, nicht weil er Freund ihres Mannes ift, fondern weil fie jetzt weiß, daß fie ihn liebt, fie fagt ihm: „Hier bin ich, nimm mich!"

Diefer aber trägt in diefem „fchwerften Kampfe feines Lebens den Sieg über fich felbft davon", fo fagt er jedenfalls fpäter, und führt fie auf den Weg der Pflicht zurück: „Die Gattin ift nicht zum Richter über ihren Gatten gefetzt. Es ift Deine Pflicht, mit demütigem Sinn das Kreuz zu tragen, das ein höherer Wille Dir auferlegt hat." Daraufhin ift fie in das Haus ihres Mannes zurückgekehrt und alles ift beim Alten geblieben. Ein Kind, ein Knabe, ift bald darauf geboren und nach neunzehnjähriger Ehe ift fchließlich der Mann, der in den letzten Jahren, kränkelnd, ein mufterhaftes Leben geführt, und durch Guttaten jeglicher Art die Sünden der Vergangenheit zu fühnen beftrebt gewefen ift, geftorben.

28 Jahre find feit jener Flucht der jungen Frau vergangen in dem Augenblick, wo die Handlung des Dramas, oder richtiger die Kataftrophe einfetzt. Und rückblickend auf dies vorbildliche Leben der Selbftaufopferung und der Pflichterfüllung, der eine Nora fich entzogen, fagt die zur Matrone herangereifte Helene Alving dem Mann, der fie diefe Pflicht gelehrt, ins Geficht: Das was Du mir rieteft, war ein Verbrechen gegen uns beide." Und ebenfo hilflos und haltlos wie die junge Nora bekennt fie: „Ich glaube beinahe, daß Gefetz und Ordnung es find, die alles Unglück hier auf Erden ftiften;" und wie Nora erklärt fie: „Ich ertrage all diefe Banden und Rückfichten nicht länger. Ich kann nicht mehr. Ich muß mich zur Freiheit emporarbeiten;" klagt fich an der Lüge und der Feigheit, weil fie in jener Stunde dem Pflichtgebot gehorchend ihr eigenes Selbftgefühl verleugnet hat!

Alfo eine völlige Entgleifung einer Frauennatur auch hier, weil die herkömmliche Gefellfchaftsmoral auf ihre Schultern eine Laft der Verantwortlichkeit gelegt hat, der fie nicht ge-

Stymann, Ibfen.　　　4

wachſen war. Die zweite Entgleiſung in ihrem Leben, nachdem
ſie die erſte, wie es ſchien, glücklich überwunden; die zweite, die,
inſofern ſie ans Ende eines in Entſagung verbrachten Lebens
fällt, weit furchtbarer und zerſtörender wirken muß, weil
die Erkenntnis zu ſpät kommt, weil nichts wieder gut zu
machen iſt, und weil die Tragödie der Frau ein nutzloſes
Opfer war, das die Tragödie der Mutter nicht abgewendet hat.

Wenn aber dieſes Vernichtungsurteil über das, was ſie
im guten Glauben, es zu müſſen, gethan, auf den erſten Blick
zugleich als eine Rechtfertigung der Handlungsweiſe Noras
erſcheint, die rechtzeitig die größere Gefahr witternd, den
Mut fand, der konventionellen Geſellſchaftsordnung Trotz zu
bieten und ſich damit rettete, ſo iſt dem gegenüber zu betonen, daß die inneren Vorausſetzungen für beider Handlungsweiſe doch weſentlich verſchieden ſind. Als Helene Alving
aus dem Hauſe ihres Mannes floh, feſſelte ſie nichts weiter
an ihn, als der ihm perſönlich geleiſtet Treueſchwur vor dem
Altar, den dieſer ihr ſeinerſeits in der ſchnödeſten Form gebrochen. Nur ihm perſönlich war ſie verantwortlich und
niemandem andern raubte oder nahm ſie etwas dadurch, daß
ſie ihre Freiheit wieder ſuchte; um ſo weniger, da ſie inzwiſchen
inne geworden, was eine wahre, tiefe, innige Neigung für ein
Frauenherz bedeutet, und welches Glück die Liebe, die auf wirk-
licher Seelengemeinſchaft beruht. Daß ſie auch in letzterem
ſich irrte, indem ſie — ähnlich wie Dina Nörlund gegenüber
— die Neigung, die ſie zu Manders hinzog, aus deſſen innerem
Wert, ſtatt aus dem Gegenſatz mit dem Unwert ihres Mannes
herleitete, änderte für ihr ſubjektives Empfinden in dem ent-
ſcheidenden Augenblick nichts. Und daß ihr, der kaum eben
zur Selbſtändigkeit und einer wehen Ahnung kommender
Glückſeligkeit Erwachten, der Mann, dem ſie ſich blindlings
in ihrer Not und ihrer Liebe anvertraut, die Thore zur
Freiheit und zum Glück verſchloß und, ſie bei der Ehre

packend, zwang, in das alte Elend zurückzukehren, das war ein Schlag, der diese an und für sich kernhafte und willens= starke Frauennatur ins Mark treffen mußte, weil er ihrer Natur Gewalt anthat.

Sie wollte wahr und ehrlich sein gegen sich selbst und andere, so lange es noch nicht zu spät war; nicht aus zügellosem Freiheitsdrang, „weil sie nie irgend einen Zwang ertragen konnte, weil sie gewissenlos und rücksichtslos alles was sie beengte und bedrückte abzuwerfen gewohnt war," wie ihr später der kurzsichtige Manders höchst ungerecht vorwirft, sondern aus einem wirklichen, echten Pflichtgefühl heraus, das ihr die Wahrheit zur ersten Pflicht machte. Sie steht da auf einem Standpunkte, auf dem jede ehrlich und gesund empfindende Frau und jeder anständige Mann ihr Recht geben muß, und so ist also ihre Lage grundverschieden von der Noras, deren Verhalten wir wohl aus ihrer Natur heraus verstehen und erklären können, aber nicht der zehnte Teil zu rechtfertigen geneigt ist.

Helene Alvings Fall ist der typische Fall, auf den nur sittliche Borniertheit falsch reagieren kann; die sittliche Be= schränktheit, hier verkörpert in dem Pastor Manders, der im besten Glauben von der Welt die Seele, die er vom Ver= derben retten will, gerade in dem Augenblicke nicht nur sich und seinen „Idealen" für immer entfremdet, sondern auch in eine Schuld verstrickt, der ihre Seele bis dahin fremd war. Das war die Stunde, wo die „Gespenster" auch über sie Gewalt bekamen. Nicht diese „abscheulichen, aufrühre= rischen, freigeistigen Schriften" tragen die Schuld daran, daß das Vertrauen in das, was man sie als recht und heilig ge= lehrt, ins Wanken kam, daß sie irre wurde an sich selbst, an ihrem Gott, sondern die Lüge, zu der man sie zwang, im Namen der Pflicht: „als Sie mich in das hineinzwängten, was Sie Pflicht und Schuldigkeit nannten, als Sie das als

4*

recht und wahr lobpriesen, wogegen meine ganze Seele sich empörte, da war es, daß ich Ihre Lehre an meinem eigenen Saume prüfen wollte. Nur einen einzigen kleinen Stich gedachte ich aufzuziehen, aber als ich den gelöst hatte, riß das Ganze auf. — Und da sah ich, daß alles nur Maschinennäherei sei."

Da machte die einsame, ganz auf ihre eigene, in grenzenloser Qual verstörte Vernunft Angewiesene die große Abrechnung mit den Gewalten und Idealen, die bisher die Stützen und Träger, der Inhalt ihres Lebens gewesen waren, und im Licht eines neuen, sonnenlosen Tages verblichen sie zu wesenlosen Schatten und Gespenstern, die aber doch, gerade weil sie Gespenster waren, in ihrem Leben eine zerstörende Macht wurden: „Es ist nicht allein das," sagt sie zu Manders, „was wir von Vater und Mutter geerbt haben, das in uns umgeht. Es sind allerhand alte, tote Ansichten und aller mögliche alte Glaube und dergleichen. Es lebt nicht in uns, aber es steckt in uns, und wir können es nicht los werden."

Diese Gespenster sind es gewesen, die sie in die widerwärtigen Umarmungen eines lasterhaften Mannes zurücktrieben, deren Frucht das Kind war, das nie hätte geboren werden sollen. Diese Gespenster sind es gewesen, die sie zu einem Grade der Selbsterniedrigung zwangen, die ihr Leben vergifteten, ohne auch nur ein Atom von Reinheit in die verwüstete Seele des Gatten zu übertragen, die sie in einen Abgrund von systematischer Lüge und Heuchelei stürzten, und sie zwangen, das Einzige, Reine, was noch in ihrem Leben war, das Verhältnis zu ihrem Kinde, auf Lüge aufzubauen. Um seinetwillen nahm sie den Kampf auf Leben und Tod auf, „damit niemand erfahre, welch ein Mensch der Vater meines Kindes war."

Diese Gespenster haben sie gezwungen, das Kind, das

in feinem Alter und bei feinen Anlagen zarter und wachfamfter
mütterlicher Pflege und Obhut doppelt bedürftig war, fremden
Leuten anzuvertrauen, damit es feinen Vater nicht kennen
lerne, während fie, für die Zukunft vorbauend, den durch den
Beweis feiner Schuld in ihre Macht geratenen, dahinfiechen=
den Wüftling zwang, feinen Namen für eine großartige, ge=
meinnützige Thätigkeit herzugeben, für die feine brutale Ge=
nußfucht nie einen Funken von Intereffe und Verftändnis
gefpürt. Und eben diefe Gefpenfter haben fie gezwungen,
die Lüge übers Grab hinaus fortzufetzen, in dem Kinde den
Glauben zu erhalten, daß fein Vater das Ideal männlicher,
bürgerlicher Ehrenhaftigkeit und Thatkraft gewefen; deshalb
durfte es auch nach dem Tode des Vaters, fo lange noch die
Erinnerung an feine Schändlichkeiten im Haufe lebendig war,
die Stätte nicht betreten, die durch feine Spuren vergiftet war,
deshalb wurde in der Korrefpondenz der Mutter mit ihrem
Kinde die Lüge die Grundlage, und deshalb wurde fchließ=
lich dem Andenken des an den Folgen feiner bis an die
Schwelle des Todes fortgefetzten Ausfchweifungen zu Grunde
Gegangenen eine fromme Stiftung errichtet, damit es für
den Fall, daß doch einmal die Wahrheit an den Tag komme,
dann „gleichfam alle Gerüchte niederfchlagen und alle Zweifel
aus dem Wege räumen follte."

Diefe Tragödie einer Frau hat fich abgefpielt und auch
ausgefpielt, ehe das Drama felbft beginnt. Das Drama, das
nun eine neue Tragödie eröffnet: die Tragödie der Mutter, oder
richtiger von Mutter und Sohn. Bis zu diefem Augenblick hat
infolge ihrer gänzlichen Vereinfamung die Seele Helene Alvings
in einem hypnotifchen Erftarrungszuftande gelegen, bis zu dem
Augenblick, wo der Sohn zum erftenmal wieder die Schwelle
des väterlichen Haufes betritt und durch feine körperliche Er=
fcheinung — „Als Oswald ins Zimmer trat, mit der Pfeife
im Munde, war mir's, als ftände fein Vater lebendig vor

mir," jagt Manders — und mehr noch durch eine Atmosphäre
naiver, aber jehr jtarker Sinnlichkeit, die er ausstrahlt, längjt
begrabene Gejpenjter zu neuem, furchtbarem Leben erweckt.
Gejpenjter anderer Art, als die, unter denen Helene Alving
gelitten, leibhaftige Erneuerungen alter Leidenjchaft und alter
Schuld, Revenants im eigentlichen Sinne des Wortes. „Das
Paar aus dem Blumenzimmer geht wieder um!"

Und nun begiebt jich vor diejer Erjcheinung auch ein
„Wunderbares". Diejie Gejpenjter jind es, die Helene Alving
aus dem Seelenjchlaf aufrütteln und jie zugleich befreien aus
dem Banne jener anderen Gejpenjter, aus der dumpfen Gebundenheit der Lüge, an der ihr Leben krankte, aus der Feig=
heit, die um der „Ideale" willen die Wahrheit verleugnet.
Das Tragijche ijt nur, daß dieje Befreiung zu jpät kommt; und
auch das ijt tragijch, daß ihr in dem ungewohnten Lichte
diejer Freiheit plötzlich auch das Gefühl der moralijchen
Überlegenheit über den erbärmlichen Mann, das außer dem
mütterlichen Pflichtgefühl ihr einziger Halt in all diejen
Jahren des unnatürlichen Zwanges gewejen, als ein großer
Irrtum, als eine pharijäijche Überhebung erjcheint, daß jie
glaubt erkennen zu müjjen, daß ein Teil der Schuld, daß es
jo kam, auch jie trifft: „Man hatte mich etwas gelehrt von
Pflichten und dergleichen, an die ich bis dahin geglaubt hatte.
Alles mündete nur in Pflichten aus — in meine Pflichten
und jeine Pflichten und — — Oswald ich fürchte, ich habe
Deinem armen Vater das Haus unerträglich gemacht."

Wenn jie auch zweifellos, unter dem überwältigenden
Eindruck der Worte Oswalds über die Lebensfreudigkeit, die
ihr eine neue Welt erjchließen, hier zu weit geht und, im
geliebtem Sohn das Abbild jeines Vaters in demjelben Alter
jehend, den Toten und jeine Lajter mehr idealijiert als er verdient, ebenjo wie jie, aus einer Übertreibung in die andere
fallend, nachdem jie jahrelang unter Pflicht und Gejetz gelitten,

plötzlich bereit ist, beiden bedingungslos den Krieg zu erklären,
so ist doch in der hierin zu Tage tretenden Fähigkeit, auf die,
bisher hartnäckig als ihr Recht in Anspruch genommene,
Rolle der Anklägerin zu verzichten, jene innere Reife bekundet,
die der armen Nora als zu erstrebendes Endziel nur nebelhaft
vorschwebte. Das ist der Punkt, worauf das ganze Drama
hinarbeitet, daß dieser Frau schließlich die Augen aufgehen,
daß sie deshalb hat unterliegen müssen, weil sie den Kampf
gegen die Gespenster nur geführt hat als ein persönlich gekränktes
Individuum, weil auch ihr, ähnlich wie Nora, ein soziales
Verantwortlichkeitsgefühl im höheren Sinne, das über den
Kreis der Familie hinausgeht, fremd war.

Das tragische Verhängnis ist es, daß ihr diese Er-
kenntnis erst tagt angesichts der hoffnungslos verpfuschten
Existenz des Sohnes. Das ist die Tragödie der Mutter, die
sich vor unseren Augen abspielt, und die, so wenig äußere
Handlung sie enthält, und so sehr ihre Voraussetzungen auf
Vorgängen beruhen, die lange Jahre zurückliegen, doch unser
Interesse und unsere Teilnahme aufs äußerste spannt und
in Spannung erhält; einmal weil diese vor Beginn des
Dramas liegenden Konflikte hier durch die Art, wie sie in den Gesprächen zweier Nächstbeteiligten reproduziert werden, uns fast in
die Einbildung des Miterlebens versetzen, dann aber weil wir durch
die Vorgänge, die wir wirklich sehen, erst die eigentlichen und
geheimsten Voraussetzungen des tragischen Konfliktes zu erkennen vermögen. Denn die Handlung führt uns an den Ur-
quell der tragischen Schuld heran, der tiefer und weiter zurück-
liegt, als jene Vorgänge, die wir gesprächsweise erfahren.
Diesen Weg führt uns Oswald Alving. In die Tragödie
der Mutter ist die des Sohnes verknüpft, und wir erkennen
erst aus ihr, warum die Gespenster in Helene Alvings Leben
eine so furchtbare Macht werden konnten.

Es ist ein Fehler, in den die meisten Beurteiler der

„Gespenster" verfallen, — ein Fehler, an dem freilich Ibsen selbst Schuld trägt, — daß das Moment der physischen Belastung Oswalds, mit seinen ekelhaften Voraussetzungen und seinen grauenhaften Folgen als die Hauptsache aufgefaßt und dementsprechend das grausame Wort von den Sünden der Väter, — und hier noch dazu in höchst fragwürdiger physiologischer Begründung — als die Spitze des Stückes hingestellt wird, was dann freilich zu gänzlich schiefen Urteilen führen muß.

Das Belastungsmotiv im engsten physischen Sinne ist allerdings eines von denen, das Ibsen viel beschäftigt und geradezu auf ihn eine fast dämonische Anziehungskraft ausgeübt hat. Schon in den „Stützen der Gesellschaft" wird das Thema in einzelnen Szenen Dina Dorfs angeschlagen, Nora erscheint nach der moralischen Seite belastet durch ihren Vater, und als Typus physischer Belastung steht neben ihr Dr. Rank, eine vom medizinischen Standpunkte mindestens sehr fragwürdige Erscheinung, der mit nicht mißzuverstehender Deutlichkeit seine Krankheit aus den Sünden der Väter herleitet: „Mein armes, unschuldiges Rückgrat muß für das lustige Leutnantsleben meines Vaters büßen." „Büßen zu müssen für die Schuld eines anderen! Ist darin Gerechtigkeit?" „Doch", setzt er hinzu, „über jeder Familie hängt in irgend einer Form solch eine unerbittliche Vergeltung".

Dieser letzte Gedanke, der hier als ein Leitmotiv für eine Nebenhandlung anklingt, scheint nun, in den „Gespenstern" — wie wir ja ähnliche Verschiebungen schon beobachtet haben — als Leitmotiv für die Haupthandlung, oder jedenfalls die zweite Hauptperson auserfehen. Auch Oswald Alving muß als ein schuldloses Opfer für die lustigen Jahre des Leutnant Alving büßen. In jener herzerschütternden Szene mit seiner Mutter, wo er ihr sein Geheimnis enthüllt, sagt er, und wir müssen ihm glauben, auf die Frage: „Wie ist das Furchtbare über Dich

gekommen?" „Das ist's ja gerade, was mir unmöglich ist zu
fassen und zu begreifen. Ich habe niemals ein stürmisches
Leben geführt. In keiner Beziehung. Das darfst du nicht
von mir glauben. Das habe ich nie gethan"; und er geht
ebenso vor unsern Augen rettungslos daran zu Grunde wie
Dr. Rank. Und gleichzeitig wird auch das moralische Belastungsmotiv in gröbster Form, — wieder mit leisem Anklange
an Dina Dorf — in Oswalds Schwester Regine verkörpert,
die merkwürdigerweise, Tochter desselben Vaters, als Urbild
der Gesundheit, als „schmuckes, kernfrisches Mädchen" erscheint,
und die mit cynischer Offenheit, nachdem sie erfahren, daß
ihre Mutter „auch eine solche" gewesen, auf die Warnung
„Wirf Dich nicht fort" erklärt, „Nun wenns geschieht, so hat's
wohl geschehen müssen. Artet Oswald seinem Vater nach,
so arte ich vermutlich meiner Mutter nach."

Und doch ist, trotzdem uns keine noch so widerwärtige
und grauenvolle Einzelheit des körperlichen und seelischen Zer-
setzungsprozesses, dem Oswald erliegt, geschenkt wird, und
obwohl durch den dadurch auf unsere Phantasie ausgeübten
Zwang geflissentlich jede Denkthätigkeit in anderer Richtung
unterbunden und abgeschnürt wird, dieses Motiv thatsächlich
hier nicht mehr als ein Begleitakkord, oder eine Art Unter-
stimme.

Das eigentliche Thema, in dem die Tragödie der
Mutter und des Sohnes zusammenklingen, ist ein ganz
anderes, und damit zugleich wieder ein weiter Ausblick gegeben aus den engen vier Wänden des Bürgerhauses auf das
soziale Gebiet.

Ein doppeltes Erbteil hat Oswald vom Vater, die
Krankheit und das Temperament; das sinnen-freudige, das
der Sonne bedarf und des Lichts, um zu leben, um zu
atmen und um rein zu bleiben. Darum wirkt auf ihn die
animalische Gesundheit Reginens, in ihrer strahlenden körper-

lichen Frische, wie die Sonne auf Blume und Blatt
„Wie sie so vor mir stand, gleichsam mit offenen Armen,
um mich zu umfangen — da war es mir klar, daß in ihr
meine Rettung sei; denn in ihr ist Lebensfreudigkeit". —
„Lebensfreudigkeit? Kann die Rettung bringen?" fragt
in tiefstem Erstaunen die Mutter; und nach einer Unterbrechung
kommt sie darauf zurück: „Was war das doch, was Du von der
Lebensfreudigkeit sagtest?" „Ja die Lebensfreudigkeit Mutter,
die kennt ihr hier zu Hause wenig. Ich verspüre sie hier
niemals!" „Auch nicht, wenn du bei mir bist?" „Niemals,
wenn ich zu Hause bin. — Doch das verstehst du nicht."
„Doch, doch, ich glaube beinahe, daß ich es verstehe —
jetzt!"

Sie hat sie nie gekannt, und keiner von denen, die sie
erzogen und geleitet haben, hat sie gekannt, diese Lebens=
freudigkeit, aus der die Arbeitsfreudigkeit hervorwächst; von
der sie auch nichts wußte. Denn sie ist nur gelehrt worden,
daß die Arbeit ein Fluch und eine Sündenstrafe sei und
das Leben „ein jämmerliches Etwas, mit dem man je früher
desto besser zu Ende kommt." Die befreiende Botschaft, die
in Goethes Worten klingt:

> „Wem wohl das Glück die schönste Palme beut?
> Wer freudig thut, sich des Gethanen freut"

hat nie in ihrem Herzen einen Widerhall gefunden, finden
können, finden dürfen. Denn die jubelnde Glückseligkeit, die
da draußen in Licht und Sonne und Sonntagsluft empor=
trägt zur Reinheit, hier zieht sie herab in den Staub, zur
Gemeinheit. „Mutter, ich fürchte mich, hier zu bleiben, sagt
ihr Oswald, weil ich fürchte, daß alles was in mir tobt,
hier in Unsittlichkeit ausarten könnte. Wenn man auch hier
zu Hause dasselbe Leben lebt, wie da draußen, es ist ja doch
nicht dasselbe Leben." Das sagt ihr ihr Sohn, dessen Seele
in diesem Augenblick vor ihr ausgebreitet liegt ohne Hülle

und Schleier, aus dessen Worten eine Lebens= und That=
freudigkeit sprüht, die ihr das Herz höher schlagen macht
und dessen reines Auge noch durch keinen Hauch der Ge=
meinheit getrübt ist; und auf einmal fällt es wie Schuppen
von ihren Augen: „Jetzt sehe ich den Zusammenhang. Jetzt
sehe ich ihn zum erstenmal."

Was der Sohn zu werden fürchtet, war der Vater,
schon ehe sie ihn kennen lernte; er war gewesen, was jener
noch ist; und die Sünde, durch die dann sein Leben und ihres
verwüstet und vernichtet wurde, sie war nicht Sünde von
Anfang an, sie ward es erst, weil der Boden, in dem der
Baum wurzelte, die Bestandteile nicht enthielt, die er brauchte,
um gesund zu bleiben: „Es war wie ein Frühlingswetter,
wenn man ihn ansah." Und er mußte mit dieser wild empor=
drängenden Lebensfreudigkeit gebannt werden in den Kreis
einer halbgroßen Stadt, „die keine erhebende Freude, sondern
nur Vergnügungen zu bieten vermag. Hier mußte er bleiben
ohne einen Lebenszweck. Keine Arbeit, der er sich mit allen
seinen Kräften hätte widmen können, nur eine Beschäftigung;
keine Kameraden, die imstande gewesen wären, mitzu=
empfinden, was Lebensfreudigkeit ist; — er hatte nur Zech=
brüder, er kannte nur Müßiggänger."

Und so wird der eigentlich Schuldige die Gesellschaft;
die Gesellschaft, die sich unfähig erwiesen, die angeborene
Freudigkeit seiner Seele in sittliche Kraft umzusetzen. Es
ist eine Anklage des Dichters, persönlichster Art gegen
seine Heimat, die eingehüllt in feuchten Nebeldunst be=
schränkter Vorurteile, konventioneller Lüge und wortheiliger
Moral keine wirkliche Thatkraft und Thatfreudigkeit auf=
kommen läßt, sondern die besten Söhne zwingt, in die Ferne
zu wandern, damit daheim ihr Bestes nicht zum Schlechtesten
werde. Eine Anklage, die einerlei, ob sie in dem Um=
fange und in der Schärfe begründet ist, unter dem Ein=

druck der Menschenschicksale, die in den Gespenstern vor uns sich abgespielt haben, von ergreifendster Wirkung ist; nicht zum wenigsten deshalb, weil auch „da draußen," wo, wie Oswald meint, „man von solchen Dingen nichts mehr wissen will," und wo „Licht und Sonnenschein und Sonntagsluft" zu Lebensfreudigkeit und Thatfreudigkeit laden, die Nebelwolken oft tief und schwer herabhängen. Und wenn es auch dort wohl schwerlich noch Leute giebt, die aus Rücksicht auf die „wirklich Meinungsberechtigten" d. h., mit Pastor Manders Worten, „Männer, die soweit in unabhängiger und einfluß= reicher Lebensstellung sind, daß man nicht gut unterlassen kann, ihrer Meinung ein gewisses Gewicht beizulegen", so beschränkt sind, ein Gebäude nicht zu versichern, weil man es so auf= fassen könnte, „als wenn wir nicht das rechte Vertrauen auf die Vorsehung hätten," so kennen wir doch den Einfluß dieser „wirklich Meinungsberechtigten" in andern und ernste= ren Fragen und Dingen auch zur Genüge. Wir kennen sie, die Moral, die darauf hinausläuft, um keinen Preis sich „einer schiefen Beurteilung auszusetzen", die Moral, die nicht an der Unsittlichkeit an sich, sondern daran daß sie öffent= lich bemerkt wird, Anstoß nimmt, die Moral die innerhalb der vier Wände zu allen möglichen Konzessionen bereit ist, die Moral, die nicht fragt, was wird aus der Wahrheit, sondern was wird aus den Idealen, die Moral, die die Eng= strands groß zieht; und nicht minder das Banausentum, das so liberal ist, daß es bereit ist anzunehmen, daß es auch unter den Künstlern Menschen giebt, „die ihren inneren Menschen un= verderbt bewahren", und sich dagegen verwahrt, „den Künstler= stand unbedingt zu verdammen". Diese ganze Welt= und Lebens= anschauung, wie sie vor allem in der Person und in den Worten des guten Pastors Manders, dieser fleischgewor= denen Menschenfurcht, zum Ausdruck kommt, der dabei in seinem felsenfesten Glauben an das Gute im Menschen so etwas Rührendes, hat, die kennen wir alle auch bei uns und wissen, welchen Schaden sie auch „da draußen" noch stiften kann und stiftet.

Mehr noch aber als aus den Worten Helene Alvings klingt eine erschütternde Klage und Anklage aus den Worten des unglücklichen Oswald, der mit seiner Sehnsucht nach Licht und Thatfreudigkeit in den heimischen Dunst und Nebel eingesponnen, stammelt: „Die Sonne, Mutter, gieb mir die Sonne."

Als ein Familiendrama hat Ibsen selbst die Ge= spenster bezeichnet; und ein solches ist es auch im strengsten Sinne. Durch Bande des Bluts und intimster Erlebnisse sind sämmtliche fünf Personen des Dramas miteinander aufs innigste verknüpft. Manders und Engstrand gehören ebenso in diese Familie hinein, wie Regine. Kein fremdes Auge sieht herein, keine fremde Hand greift von außen ein. Es fehlen durchaus jene Gegensatz= und Ergänzungsfiguren, wie sie, bei sonst ähnlicher Situation, im „Puppenheim", Rank, Frau Linde und in gewissem Sinn auch Krogstad darstellen. Es kommt dadurch eine düstere Geschlossenheit in das Drama, die durch die streng gewahrte Einheit der Zeit und durch die regenschwere Luft und die Sonnenlosigkeit der landschaftlichen Stimmung zu einer suggestiv wirkenden Symbolik mora= lischer Enge und Gebundenheit gesteigert wird, die etwas unendlich Beklemmendes nnd Beängstigendes hat. Die Sonne, die am Schluß endlich den Nebel durchbricht, kommt, wie für Oswald, so für uns, zu spät, um befreiend zu wirken. Und die grauenvolle Situation, in der wir scheiden, die Mutter zurückschaudernd vor dem Letzten, ihr Kind durch die „letzte Handreichung" vom Leben zu befreien, ist nur ein Gefühl aus= zulösen im Stande, das zugleich die ganze tragische Ent= wickelung zusammenfaßt: Besser der Tod als ein solches Leben.

IV. Ein Volksfeind.

Nur wie eine ferne Brandung klingt in die Tragödie des Hauses Alving der große Kampf der Interessen und Leidenschaften, der da draußen außerhalb der vier Wände sich abspielt. Es ist im wesentlichen ein Frauenschicksal, das wir mit erleben, das Los einer einsamen Frau, die wohl gezwungen wird, auch mit den draußen stehenden Gewalten, dem Gespenst der öffentlichen Meinung, der „wirklich Meinungsberechtigten" zu kämpfen, die diesen Kampf aber führt in der Defensive, als Gattin, als Mutter, und in Beiden unterliegt. Die Männer lassen sie dabei im Stich; die einen, weil sie überhaupt die ideellen Werte, um die es sich hier handelt, nicht zu würdigen wissen, die anderen, weil sie, trotz redlichen Wollens, befangen sind in sozialen Vorurteilen, die sie ohne sie je auf ihre innere Berechtigung hin zu untersuchen, übernommen haben, und hinter denen sie, wie hinter Mauern verschanzt, unerschütterlich, unangreifbar sind für jeden Appell an ihr natürliches Gefühl. Nora wie Helene Alving bestätigen das Urteil Lona Hessels: „Eure Gesellschaft ist eine Gesellschaft von Hagestolzen, ihr seht die Frau nicht." Durch diese Fragestellung am Schluß der Stützen der Gesellschaft war zunächst Ibsen von jener Generalkritik der Gesellschaft, die er mit jenem Drama eröffnet hatte, abgelenkt worden.

Im „Puppenheim" und den „Gespenstern" war dann der
Beweis geführt worden, wie durch jene Nichtachtung der
Frauen diese nicht nur für die Lösung der sozialen Auf=
gabe untauglich gemacht, sondern auch auf ihrem ursprüng=
lichen und eigensten Wirkensgebiet, dem Boden des Familien=
lebens, teils lahm gelegt, teils auf Abwege gedrängt wer=
den mußten. Im „Volksfeind" aber kehrte Ibsen wieder zu
dem Hauptthema zurück, von dem er ausgegangen: was leistet
diese Gesellschaft, die so viele Opfer fordert, was leistet sie?
Ist sie fähig, ist sie willens an offen erkannte Schäden
bessernde Hand anzulegen, ist sie bereit, einem Führer, der
mit unhaltbaren Vorurteilen und moralischen Mißständen auf=
räumen will, zu folgen? Oder haben die „Stützen" recht,
wenn sie ihre moralische Gebrechlichkeit damit entschuldigen,
daß die Gesellschaft es sei, die sie dazu zwinge?

Am Schlusse der „Stützen" fordert Konsul Bernick seine
Mitbürger auf, über ihn zu Gericht zu sitzen und die Ent=
scheidung zu treffen, ob er, weil er der Wahrheit endlich die
Ehre gegeben, in ihren Augen verloren oder gewonnen habe.

Diese Frage, die dort nach Lage der Dinge unentschie=
den bleiben mußte, ist es, die im „Volksfeind" zum Austrag
gebracht wird. Die Anklagen gegen Mängel der heutigen
Gesellschaftsordnung, die mehr oder minder kräftig auch in
„Puppenheim" und „Gespenster" hineinklingen, werden hier
nun auf Grund des ad oculos geführten Beweises zusammen=
gefaßt und zugespitzt zu einem Verdammungsurteil gegen die
Gesamtheit und zu einer glühenden Verherrlichung des festen
Einzelwillens, der um den Preis der Vernichtung der eigenen
Existenz durch keine Macht der Welt sich von dem abbringen
läßt, was er für recht erkannt, auf die Gefahr hin, dadurch
die Gesellschaft selbst in die Luft zu sprengen. Diesen Kampf
kann aber nur führen und dieses Urteil sprechen kann nur
einer, der einmal als thatkräftiger Mann im öffentlichen

Leben steht und der selbst vom ersten bis zum letzten Augen= blicke rein geblieben ist.

Wenn die Frau, Helene Alving, den Kampf führt, ebenso sehr mit den Gespenstern in ihr, die ihr im Blut stecken und ihre Thatkraft lähmen, so hat der Mann, Dr. Stockmann, vermöge seiner ganz fest in sich ruhenden Natur, einen solchen Überfall im Rücken aus dem Lager der eigenen schwankenden Gefühle nicht zu fürchten, er kann daher seine ganze Kraft auf den Kampf in der Front konzentrieren. Noch mehr, er kann, während die Frau bis zuletzt in der Defensive zu verharren gezwungen war, selbst zum Angriff übergehen.

Zweifellos kommt dadurch von vornherein in das Drama ein ungleich lebhafteres Tempo. Der Held ist immer in Bewegung und hält dadurch auch die anderen beständig in Atem. Wenn man im „Puppenheim", den „Gespenstern", ja selbst in den „Stützen der Gesellschaft" von Anfang bis zu Ende unter dem Druck einer schweren, erstickenden Luft zu stehen meint, die von Akt zu Akt sich immer bleierner, drücken= der auf die Gemüter legt, herrscht im „Volksfeind" entschieden böiges Wetter in der moralischen Atmosphäre, was natürlich auf die Beleuchtung, in der Menschen und Konflikte sich unserem Auge darstellen, nicht ohne Einfluß ist. Die Schatten und die Lichter sind sehr grell. Und da entsteht dann die Frage, ob nicht vielleicht dadurch, im Interesse der reinen künstlerischen Wirkung ebenso sehr wie der Überzeugungskraft der in dem Drama verfochtenen Lebens= und Weltanschauung, manchmal des Guten zu viel gethan ist. Wer zu viel be= weisen will, beweist schließlich nichts. An dieser Klippe scheint mir diesmal Ibsen nur mit knapper Not vorbeizu= steuern, und nicht ohne daß Mannschaft, Ladung und Schiff dabei einigen Schaden gelitten hätte.

Ich weiß sehr wohl, daß dieses Urteil der landläufigen Meinung über Ibsens Volksfeind widerspricht und ich will

auch von vornherein gern zugeben, daß in den Szenen des
vierten Aktes eine so gewaltige dramatische Gestaltungskraft,
ein solch sprudelnder Humor, eine so an die Nerven gehende
Satire, und ein solch hinreißender Schwung männlicher Über=
zeugungstreue und Willenskraft miteinander vereinigt sind,
wie es in solcher Fülle nirgend mehr sonst bei Ibsen zu
finden ist, und die es mehr als zur Genüge erklärt, wie neben
den „Stützen" gerade der „Volksfeind" ein jubelndes Echo
nicht nur in den Kreisen gefunden hat und findet, die mit
Dr. Stockmann der heutigen Gesellschaftsordnung den Krieg
erklären; sondern auch tief in die Reihen der Verfechter der
heutigen Gesellschaftsordnung als ein Wort der Erlösung zur
rechten Zeit begrüßt worden ist und wird.

Dem ungeachtet aber überhebt diese allgemeine Sym=
pathie mit dem Thema und dem Helden in einem bestimmten
Augenblick uns nicht der Pflicht, besonnen auch hier zu
prüfen, nicht, ob wir mit dem Dichter überall einer Meinung
sind, sondern ob er von seinem Standpunkte aus psychologisch
folgerichtig die Aufgabe gelöst hat, die er sich gestellt hatte.
Und da meine ich, muß allerdings die Kritik, im Gegensatz
zu dem Ergebnis, zu dem wir beim „Puppenheim" gelangten,
dem Dichter die Gefolgschaft versagen. Sie muß es um
so mehr, je stärker hier Ibsen, auch im Gegensatz zu dem
Fall Nora Helmer, den Fall Stockmann als einen typischen Fall
behandelt wissen wollte, und als wir unter dem faszinierenden
Eindruck des vierten Aktes nur zu leicht die hier vorgetrage=
nen und verfochtenen Ansichten identifizieren mit ihrem Wort=
führer, den innern Wert, der ihnen eigen ist, unbesehen über=
tragen auf das subjektive Verhalten des Helden und dabei
vergessen, was wir in dieser Hinsicht in den ersten Akten mit
ihm erlebt haben.

Wenn wir in den älteren Dramen Ibsens ihm vielfach,
namentlich in der dramatischen Technik, auf Schillers Spuren

wandelnd begegnen, so berührt er sich hier, so sehr sich seit=
dem seine Wege von ihm getrennt haben, mit Schiller noch
einmal im Grundgedanken. Der Kampf gegen die kompakte
Majorität, geboren aus der Erkenntnis der Dummheit und
der Gefährlichkeit der Masse.

„Jeder, siehst du ihn einzeln, ist leidlich klug und verständig.
Sind sie in corpore, gleich wird dir ein Dummkopf daraus",

heißt es in den Xenien; schärfer im „Demetrius" Sapieha:

„Die Mehrheit?
Was ist die Mehrheit? Mehrheit ist der Unsinn,
Verstand ist stets bei wen'gen nur gewesen."

Und Dr. Stockmann sagt: „Die Mehrheit hat niemals das
Recht auf ihrer Seite ... Wer bildet denn die Mehrheit
der Bewohner eines Landes, die Klugen oder die Dummen? ...
Die Mehrheit hat die Macht, leider — aber das Recht hat
sie nicht. Das Recht hab ich und einige Wenige, einzelne.
Die Minderheit hat immer Recht."

Es erscheint mir beachtenswert, wie hier die echte Weis=
heit des Schiller'schen Satzes „Verstand ist stets bei Wen'gen
nur gewesen", erweitert, verschoben, verdreht wird in das
Paradoxon „Die Minderheit hat immer Recht". Es ist das
ein Verfahren, dessen sich Dr. Stockmann häufiger bedient,
daß er von einer richtigen Beobachtung ausgehend, verall=
gemeinernd und zugleich übertreibend schließlich zu einer
Formulierung kommt, die hart an die Karrikatur streift.
Diese Neigung tritt nicht nur in den Szenen der Volks=
versammlung hervor, wo sie ja aus dem ihm entgegen=
tretenden Widerspruch, der ihn seinerseits zur Übertreibung
reizt, psychologisch erklärt ist, sondern von Anfang an. Er
ist der Durchgänger, wie er im Buche steht. Sein Bruder,
der Bürgermeister, der in der Fülle seiner bürgerlichen Korrekt=
heit ein Geistesverwandter von Thorvald Helmer ist, der
durch eine Beimischung von Neid und Hagenstolzen=Hypo=

chondrie — nicht gerade liebenswürdiger wird, ist schwer
mit diesem „lästigen Bürger", wie er ihn einmal nennt, ge=
straft, der „stets einen angeborenen Hang hat, seinen eigenen
Weg zu gehen", der nicht das mindeste Verständnis für die
sittliche Notwendigkeit der Einhaltung des Instanzenweges hat,
der gar kein Gefühl dafür hat, daß der Einzelne sich dem
Ganzen unterordnen muß, der eben „keine Autorität über
sich dulden will," und überhaupt, „ohne es selbst zu wissen,
einen unruhigen, kampflustigen, aufrührerischen Sinn hat,"
und der vor allem von dem verhängnisvollen Drang beseelt
ist, „öffentlich über alle möglichen und unmöglichen Dinge
zu schreiben," der „kaum, daß er einen neuen Einfall hat —
und daran fehlt es ihm nie, — gleich einen Zeitungsartikel
oder gar eine ganze Broschüre daraus machen muß."

Diese Charakteristik, die allerdings nicht aus unparteiischem
Munde kommt, entspricht im wesentlichen doch dem Bilde,
das wir aus den Handlungen des Dr. Stockmann im Laufe
des Stückes gewinnen. Auch in einem weniger von eng=
herziger Interessenpolitik und brutalem Egoismus regierten
Gemeinwesen müßte dieser Mann auf die Dauer zu einer
öffentlichen Plage werden, insofern zu seinen aufs höchste zu
bewundernden sittlichen Eigenschaften die des Verstandes in
keinem entsprechenden Verhältnis stehen, weil ihm teils infolge
seiner Naturanlagen, teils infolge der völligen Einsamkeit,
in der er Jahre lang gelebt hat, das Augenmaß für die
Grenzen des Notwendigen und des Wünschenswerten völlig ab=
handen gekommen ist. Vor allem ist er von zwei falschen Vor=
stellungen beherrscht: 1. daß das, was er als richtig erkannt zu
haben glaubt, auch unter allen Umständen das einzig Richtige
ist, daß, weil seine sittlichen Beweggründe unantastbar sind,
auch seine Einsicht allen überlegen sei; und 2., daß es eine
heilige Pflicht ist, diese Ansicht im Interesse des Gemeinwohls
zu verbreiten. „Ist es denn nicht jedes Staatsbürgers Pflicht,"

5*

erwidert er auf des Bruders Vorwurf, daß er immer gleich rede und drucke, in strahlender Naivität, „sich dem Publikum mitzuteilen, wenn er einen neuen Gedanken hat." Wen er=faßt nicht ein Schauder bei der Vorstellung, diese Auffassung der staatsbürgerlichen Pflicht könne je herrschend werden! Und wem leuchtet nicht ein, daß ein solcher Mann, dem jegliches Urteil über die Tragweite seines Handelns abgeht und der wie eine überheizte Lokomobile, ohne Steuer und Bremsvorrichtung blindlings auf jedes Ding, das ihm im Wege steht, aufrennt, nicht nur für seine Freunde, sondern mehr noch für die gute Sache, für die er bereit ist, sich selbst=los zu opfern, eine mindestens ebenso große Gefahr ist, wie für seine in Bosheit und Lüge verstockten Gegner.

Ohne jede Spur von Menschenkenntnis, ist er, ohne es zu ahnen, willenloses Werkzeug in den Händen eines jeden, der seine Schwächen zu benutzen weiß, der seinem blinden Selbstvertrauen, das von Eitelkeit nicht fern ist, zu schmeicheln weiß. Genau so wie Nora Helmer, ist Stockmann voll=kommen blind für den berechtigten Kern der Forderungen, die jede Gemeinschaft an die Unterordnung des Einzelnen unter das Gemeinwohl stellen muß, wenn sie bestehen soll. Wenn wir ihn daher im Drama an der Lüge, der Bos=heit und nicht zum wenigsten an der Dummheit der ver=stockten, moralisch und intellektuell versumpften Gesellschaft bürgerlich Schiffbruch leiden sehen, und wenn infolgedessen die Anklagen, die er gegen diese richtet, Kernschüsse sind und als solche wirken, so kann man sich doch darüber nicht täuschen, daß wenn seine Gegner nicht so bodenlos be=schränkt und dumm gewesen wären, es ihnen ein leichtes ge=wesen wäre, diesen Berserker zu bändigen und für ihre niedrigen eigensüchtigen Zwecke, ebenso wie bisher, zu benutzen; und auf der anderen Seite, daß er in einer auf wirklichem Gemeinsinn, redlicher Gesinnung und moralischem Verant=

wortungsgefühl gegründeten Gesellschaft, ebenso zum Stören=
fried und Unheilbringer wirklich werden könnte, weil er das
erste Gebot gemeinnütziger Thätigkeit, Selbstzucht, nicht an=
erkennt und auch infolge, einer gewissen geistigen Beschränktheit,
nicht anzuerkennen vermag.

Vergegenwärtigen wir uns einmal, wie hier der Fall
liegt. Dr. Stockmann ist angestellter Beamter der Bade=
gesellschaft, zu deren Begründung er selbst schon vor Jahren,
zunächst vergeblich, die Anregung gegeben hat. Das Bad
kommt schnell in Aufnahme und die Stadt hat großen Vor=
teil daran. Plötzlich entdeckt oder glaubt Dr. Stockmann
zu entdecken, daß eine Reihe von rätselhaften, typhösen Er=
krankungen in der letzten Saison von einer verfehlten Anlage
des Wasserwerkes herrühren, infolgederen Bade= und
Trinkwasser verseucht seien. Um ganz sicher zu sein, schickt
er, ohne einstweilen irgend jemand ins Vertrauen zu ziehen,
Proben des Wassers zur Analyse an den „berühmten
Chemiker Nissen“ dessen Untersuchung bestätigt, daß das Wasser
im höchsten Grade bakterienhaltig sei. Jeder andere in Stock=
manns Lage und Stellung würde durch diese Gewißheit in
schwere Sorgen versetzt werden, nicht nur, weil er aus eigener
Erfahrung weiß, wie schwer es ist, diese nur auf Gelderwerb
erpichte Gesellschaft zu den ungeheueren Opfern, die der
Umbau verschlingen muß, zu veranlassen, sondern weil durch
diese Entdeckung an sich, durch die fernere Notwendigkeit, das
kaum eröffnete Bad des Umbaues wegen auf mehrere Jahre zu
schließen, die Zukunft des Bades, ja in mehr als einer Hinsicht der
ganzen Stadt gefährdet ist, von seiner eigenen Existenz die
mit dem Bade steht und fällt, ganz abgesehen — und daß
möglicherweise, ja wahrscheinlich eine wirtschaftliche Katastrophe
eintreten muß, die gerade die Kleinbürger hart, wenn nicht
vernichtend, treffen muß. Er wird sich sagen, daß es nur
bei dem Aufwand größter Besonnenheit möglich sein wird,

all diesen verschiedenartigen Interessen gerecht zu werden und doch die notwendige Reform durchzuführen. Er wird also zunächst dafür sorgen, daß nichts öffentlich darüber verlautet, ehe die Nächstbeteiligten und Nächstverpflichteten unterrichtet sind, und ehe man sich dort über die einzuschlagenden Wege klar geworden ist und geeinigt hat. Er wird vielleicht, da er auf die Sachlichkeit jener Interessenten nicht allzu viel Vertrauen setzt, sich schon jetzt einen Plan machen, was zu geschehen hat, wenn jene versagen; es wird ihm dabei klar werden, daß, wenn seine und der Direktion Ansichten in diesem Punkte auseinandergehen, er nicht länger Beamter der Gesellschaft bleiben kann. Er wird also eine eventuelle, sofortige Kündigung ins Auge fassen. Dann hat er die Hände frei, und es stehen ihm zwei Wege offen, entweder sich an die Presse zu wenden und im Kampfe gegen die Gesellschaft durch die Aufdeckung des wahren Sachverhalts die Reform zu erzwingen, oder durch Heranziehung der ja an der Existenz des Bades interessierten Bürgerschaft die Mittel aufzubringen, die erforderlich sind, um dadurch auf die Leitung einen Druck auszuüben. Und um hier klar zu sehen, wird er sich vor allem einen Kostenanschlag machen oder machen lassen, und gleichzeitig schon diejenigen Maßregeln in Erwägung ziehen, die notwendig sind, um den aus der Unterbrechung des Badebetriebs erwachsenen Gefahren vorzubeugen.

Was thut und denkt nun Dr. Stockmann? Er ist rein außer sich vor Freude, daß er Recht gehabt hat mit seiner Vermutung: „Da habe ich etwas, das wird Aufsehen in der Stadt machen, eine Neuigkeit! . . Eine große Entdeckung . . Jetzt mögen sie nur sagen, es seien Grillen von mir, Grillen und verrückte Einfälle von mir. Aber sie werden sich hüten. Haha! sie werden sich hüten!" . . . „Diese Badeanstalt, über die ich selbst Broschüren und im Volksboten Artikel über Artikel veröffentlicht habe, die wir den Lebensnerv, die

Lungen, die Pulsadern der Stadt genannt haben . . .
ist eine Pesthöhle, ein vergiftetes Grab" 2c. Und auf die
Frage, was denn nun geschehen soll, ob es möglich ist, ge=
sundes Wasser zu schaffen, die zuversichtliche Antwort: „das
muß möglich sein; sonst ist die ganze Badeanstalt un=
brauchbar. Doch das ist keine Gefahr: Ich bin schon ganz
mit mir im klaren, was hier zu geschehen hat." Er hat ja den
gepfefferten Bericht — „vier eng geschriebene Bogen lang" —
schon fertig, der braucht nun blos mit der chemischen Analyse,
eben in ein Zeitungspapier geschlagen, durch die Magd an
den Bürgermeister geschickt zu werden, und dann ist alles
in bester Ordnung. Denn die Wahrheit ist ja nun heraus,
und der Bruder, was soll er dazu sagen? „Er wird von
Herzen froh sein, daß eine so wichtige Wahrheit an den Tag
gekommen" . . . „Hei wird das eine Aufregung geben!"
Ja, es ist ihm ganz recht, daß die Zeitung gleich morgen
über die Entdeckung berichtet, je eher es bekannt wird, desto
besser.

An wen denkt er in diesem Augenblick? „Herr Doktor,
nun sind Sie der erste Mann der Stadt". „Ach was! Im
Grunde habe ich ja doch nur meine Pflicht gethan. Ich war ein
glücklicher Schatzgräber, weiter nichts, indes, trotzdem . . ."
Ja, den angebotenen Fackelzug lehnt er ab: „Nein!
nein! von so was will ich nichts wissen . . . und sollte die
Badeverwaltung geneigt sein, mir eine Gehaltszulage zu be=
willigen, ich nehme sie nicht an! Mein Wort darauf, ich
nehme sie nicht an." Das ist nun zwar im höchsten Grade
uneigennützig gedacht, um so mehr, als wir eben von ihm
gehört haben, daß er jetzt „fast so viel verdient, als wir
brauchen." Aber wenn auch materieller Eigennutz seiner Seele
fremd ist, das Eine berührt doch seltsam, daß er in diesem
Augenblick nur an sich denkt, nur das Gefühl hat: „Ich
fühle mich so von Herzen glücklich! Ja, es ist doch ein herr=

liches Gefühl, das Bewußtsein, daß man sich um Heimat und Mitbürger wahrhaft verdient gemacht hat!"

Von der ungeheueren Verantwortung, die dadurch auf seine Schultern gelegt ist, hat dieser vergnügt lächelnde Schwärmer keine Ahnung. Dies Bild aber, am Schluß des ersten Aktes, muß man festhalten, und sich angesichts dessen die Frage vorlegen, ist eine solche Persönlichkeit für ein gesundes Gemeinwesen ein Gewinn oder nicht, eine Persönlichkeit, die so kindlich leichtsinnig und dabei so von ihrer eigenen Unfehlbarkeit durchdrungen ist, wie dieser Dr. Stockmann?

Ich glaube, keiner wird geneigt sein, diese Frage zu bejahen. Und die folgenden Akte sind nicht dazu angethan, hinsichtlich seiner geistigen Eigenschaften, seiner Urteilskraft vor allem, zu einem günstigern Ergebnis zu gelangen. Auf die plumpen Machenschaften und die hohlen Phrasen des niedrigsten Geschäftsliberalismus, wie er von den edlen Männern Haustab und Billing vertreten wird, fällt er ebenso herein, wie auf die gemeinste Interessenpolitik zur Schau tragende Philisterweisheit des mäßigen Aslaksen mit seiner Phrase von der kompakten Majorität. Ja er giebt diese falsche Münze ebenso kritiklos als echt weiter, wie er sich von dem im Trüben fischenden Haustab die Idee von dem großen Sumpf suggerieren läßt.

Nur die ungeheuere Niedertracht und die alles Maß übersteigende Dummheit, die jetzt auf der anderen Seite entwickelt wird, wie sie vor allem in der Politik des Bürgermeisters sich offenbart, läßt die Thorheit des Helden nicht so grell hervortreten, da seine Grundehrlichkeit, so dumm er sich benimmt, doch wohlthuend und erquicklich durch den Dunst von Gemeinheit und Heuchelei hindurchleuchtet. Ebenso wie Frau Johanna gegenüber der offenbaren Niedertracht, die über ihren ehrlichen Mann herfällt, alle ihre wohlbegründeten Bedenken gegen die Klugheit und Weisheit

feiner Handlungsweise zurückdrängt und sich bedingungslos
auf seine Seite stellt, ebenso geht es schließlich unwillkürlich
dem Zuschauer und Leser, der im zweiten und dritten Akt
Zeuge des Komplotts des Bürgermeisters Stockmann und
Genossen gewesen ist, und der in dem Augenblick, wo der
unkluge und unbesonnene Reformer in die Defensive gedrängt
ist, ihm seine Sympathie nicht versagen kann.

Ein Meisterstück advokatorischer Gewandtheit ist in dieser
Beziehung vor allem der vierte Akt. Die bodenlose Heuchelei
und Gemeinheit der die öffentliche Meinung regierenden
Mächte kommt in der Rede des Bürgermeisters, Aslaksens
und Haustads so grauenvoll drastisch und in ihrer ver=
heerenden Wirkung auf die urteilslose Menge zum Ausbruck,
daß die gegen sie gerichteten Worte des zum äußersten ge=
triebenen Doktors in jedem Herzen ein jubelndes Echo wecken.
Diese Kriegserklärung gegen die leitenden Männer — „Leitende
Männer mag ich in der Seele nicht ausstehen . . . sie gleichen
den Ziegen in einer ganzen Baumpflanzung; überall richten
sie Schaden an; einem freien Mann stehen sie im Wege, wo er
sich nur blicken läßt, und am besten wäre es, wir könnten
sie ausrotten wie andere schädliche Insekten" — trotzdem sie
in dieser Verallgemeinerung eine thörichte Übertreibung ist,
und besonders im Munde eines Stockmann, der sich selbst
überlassen, gemeinschädlich sein würde — sie schlägt ein, weil
sie den, der da vor uns sitzt, den Bürgermeister, moralisch
vernichtet; die Anklage gegen die „verfluchte, kompakte, liberale
Majorität" als den Feind aller Wahrheit, schlägt ein, wie ein
Donnerwetter, denn diese Majorität hat sich in der Person des
edlen Vorstands des Hausbesitzervereins, des Mäßigkeitsapostels
Aslaksen, vor unseren Augen eben in der schamlosesten Weise
prostituiert; und die Anklage schließlich gegen eine verlogene,
feile, trotz der großen Worte von Volksbeglückung und Kultur=
fortschritt rückständige Presse, die von der Lüge lebt, die „das

Land verpestet und wie ein schädliches Thier ausgerottet werden müßte", sie wirkt, dem elenden Geschmeiß, den Billing und Haustab ins Gesicht geschleudert, wie ein befreiendes Gewitter, das die persönliche Schlußfolgerung: „Ich liebe meine Vaterstadt so sehr, daß ich sie lieber ruinieren will, als sie auf einer Lüge emporblühen zu sehen," übertönt. Von hundert Zuschauern im Theater, die bei diesen Worten begeistert Beifall klatschen, ist, ich wette, nicht einer, der, selber in verantwortlicher Stellung und redlichster Absichten bewußt, sich einen so täppischen und unklugen Reformer, wie den Dr. Stockmann des ersten Aktes nicht mit größter Entschiedenheit verbitten würde.

An und für sich ist dieser Mann psychologisch ebenso richtig beobachtet und vor uns aufgebaut wie Nora. Es ist aufs vortrefflichste begründet, wie der einsame Grübler plötzlich nach langen Jahren in ein, wenn auch beschränktes, doch blühendes Gemeinwesen versetzt, den Kopf verliert — „auf mich wirkt das hier, als sähe ich mich in eine lärmende Weltstadt versetzt," sagt er einmal im ersten Akt —; wie er, eine Mischung von großer Gutmütigkeit und peinlichem Gerechtigkeitsgefühl, seine Gesinnung auch bei anderen voraussetzend, sich nach dem äußeren Schein ein Bild der Gesellschaft macht, das weder im Guten noch im Bösen stimmt; wie er, nie daran gewöhnt, seine Denkfähigkeit und Urteilskraft im Austausch der Meinung mit anderen zu schulen, von jedem neuen Einfall, der ihm kommt, über den Haufen gerannt wird, und dadurch, zumal er keine geringe Meinung von sich selber hat, notwendig für seine Umgebung höchst lästig werden muß. Ein Mensch m. e. W., der jene Thatfreudigkeit, die Helene Alving in ihrem Leben so schmerzlich vermißte, im höchsten Grade besitzt, dem die angeborene Farbe der Entschließung noch nicht im mindesten von des Gedankens Blässe angekränkelt ist, und der dabei, in seiner

rein menschlichen Liebenswürdigkeit und Gutmütigkeit die
Sympathien, die ihm zufallen, durchaus verdient, der aber
stellenweise, und oft gerade in den Augenblicken, wo er seiner
geistigen Überlegenheit am sichersten sich wähnt, nicht nur
einen Anflug von beschränkter Rechthaberei, sondern auch von
unfreiwilliger Komik hat, die selbst der tiefe sittliche Ernst
und der sprudelnde Humor in seiner Rede über die Lebens=
dauer der Wahrheiten und über die Lüge, daß die Mehrheit
im Besitze der Wahrheit sei, nicht ganz zu verwischen vermag.

Die große Entdeckung, die er am Schluß macht: „Der
stärkste Mann der Welt ist derjenige, welcher allein steht,"
mag die tapfere und gute Tochter, die in ihrem Vater das
Ideal des selbstlosen Menschen erblickt, mit gläubigem Ver=
trauen als Lebensnorm hinnehmen auch für ihn; der Zuschauer
aber wird eher geneigt sein, es zu machen wie Frau Johanna,
die lächelnd den Kopf schüttelt und sagt: „O, o, lieber
Otto!" Noch einen Schritt weiter auf dieser Bahn und wir
streifen an die Karrikatur!

Dieser Schritt ist gethan und die Verzerrung damit auch
für jedes Laienauge schmerzlich fühlbar gemacht, in dem
Drama, das zwei Jahre nach dem Volksfeind erschien, der
„Wildente".

V. Die Wildente.

Die Verzerrung, von der ich eben als einem der „Wildente"
eigentümliches Merkmal sprach, bezieht sich aber hier nicht wie
im „Volksfeind" bloß auf einen Charakter und die Rolle, die er
spielt, sondern sie ist, mit eigentlich nur einer Ausnahme, allen
Charakteren eigentümlich. Es erscheint als Absicht des Dichters,
nicht nur gewisse Schwächen lächerlich zu machen, sondern
geradezu eine bisher von ihm selbst vertretene Lebensanschauung
dadurch, daß er sie durch einen Thoren vertreten und in alle Kon=
sequenzen verfechten läßt, bis zum jämmerlichsten Mißerfolg,
dem Hohn und dem Gelächter preiszugeben. Es ist eine große
Bankerotterklärung, die sich allerdings langsam vorbereitet hat,
die aber doch schließlich auch denen, die bis dahin mit vollstem
Verständnis die Gedankengänge des Dichters begleitet hatten,
in dieser Schroffheit und Bitterkeit überraschend und ver=
wirrend kam, um so mehr da gleichzeitig hier zum ersten
Male jener merkwürdige Symbolismus Ibsens mit der ihm
eigentümlichen, in Zeichen redenden, Geheimsprache den Personen
und den Situationen und Konflikten des Dramas seinen
Stempel aufdrückte und so zu der moralischen eine ästhetische
Trübung hinzukam. Man merkte erst allmählich, daß man
das Glas anders einstellen mußte, als man es bisher
bei Ibsen gewohnt war, um diesmal die Absicht des
Dichters richtig zu verstehen und seine Gestalten richtig zu

fehen. Aber auch derjenige, der diefe Vorbedingung zu er=
füllen, willens und im ftande war, konnte fich darüber nicht
täufchen, das auch dann immer noch die Rechnung nicht rein
aufging, daß noch immer ein Satz von unbefriedigten Em=
pfindungen zurückblieb, der fich erklärte aus einem Zuviel
von Motiven, die in ihrer Fülle einander beeinträchtigend,
eine Durch= und Herausarbeitung jedes einzelnen unmöglich
machten, und dadurch den Eindruck des Unfertigen und Zu=
fammenhangslofen hinterließen. Auch das wird allerdings
weniger fühlbar für den, der wie wir, dies Drama im innigften
Zufammenhang mit feinen unmittelbaren Vorgänger betrachtet,
weil wir dann für manches hier nicht Ausgefprochene oder nur
Angedeutete die Erklärung oder Auflöfung in den früheren
Konflikten und Geftalten finden, und zugleich fehen, wie lange
diefe Ideen und Charaktere fich vorbereitet und gradweis ent=
wickelt und verfchärft haben.

Schon in den „Stützen der Gefellfchaft" find wir ihm
begegnet, dem neurafthenifchen Phrafendrefcher und Tagedieb,
der ftets „die Fahne der Idee" hoch hält, der dort als Kon=
traft= und Epifodenfigur fein Dafein führt, und der hier im
Vordergrunde als Erfinder und Familienvater ebenfo viel
Gefchrei und ebenfo wenig Wolle produziert wie jener, und
dem die tägliche Lüge im großen wie im kleinen ein Lebensbe=
dürfnis ift, wie Effen und Trinken. Auf der anderen
Seite führt eine direkte Linie von Lona Heffel, die die
moralifchen Grundlagen des Haufes Bernick wieder herzu=
ftellen fich berufen fühlte, über Frau Linde zu Paftor
Manders, zu Dr. Stockmann, und von Dr. Stockmann zu
Gregers Werle, dem Mann der idealen Forderung.

Es ift wie eine Reihe jener Porträts, die mit einem
Menfchengeficht anfangen und in eine Tierfratze endigen.
Jeder neuen Zwifchenftufe wird ein wenig zugefetzt und
gleichzeitig ein wenig abgenommen, fo wenig, daß man es

im Augenblick kaum merkt; erst wenn ein Glied aus der Reihe ausgeschaltet wird, wird man stutzig. Ähnlich verhält es sich auch mit der Lebensanschauung, die verfochten wird. Durch kleine Verschiebungen, Abschwächungen hier und Ver= schärfungen dort wird aus dem siegreich überzeugungsvollen Kampf gegen die Lüge in den „Stützen der Gesellschaft", unter den ungeschickten Händen des Pastor Manders aus dem Kampf für die Wahrheit ein Kampf für die Ideale, die ihm höher stehen, als die Wahrheit, schiebt Dr. Stockmann an dieser Stelle den Kampf gegen die Wahrheiten, die sich über= lebt haben, die so alt geworden sind, daß sie auf dem besten Wege sind, eine Lüge zu werden, und den letzten Schritt thut in der Wildente Dr. Relling mit dem Satz: „Warum gebraucht ihr immer das Fremdwort „Ideale", wir haben ja das schöne deutsche Wort „Lügen", und mit der Lehre von der „Notwendigkeit der Lebenslüge für den Durchschnittsmenschen".

In Dr. Stockmann hat der Wahrheitsfanatismus aus vollster freudiger Überzeugung noch einmal einen, allerdings nur ideellen, Triumph gefeiert. Bei ihm ist noch alles Licht, und trotz der wider Willen hereinspielenden, gelegentlichen ironischen Streiflichter, die auf die Gestalt des liebenswürdigen Drauf= gängers fallen, steht hinter ihm und steckt in ihm der Dichter mit der vollsten, menschlichen Sympathie.

In seinem Nachfolger Gregers Werle aber ist alles Licht und alle reine Freudigkeit ausgelöscht, nur der beschränkte, ver= bohrte Fanatiker ist geblieben. Das Unglück, das wir uns bei Dr. Stockmann nur in der Perspektive als möglich ausmalten, wird hier von diesem Fanatiker mit wahnwitzigem Starrsinn vor unseren Augen, man möchte sagen, an den Haaren herbei= gezogen, und das kleine Kapital von Sympathie, über das er nach den Szenen des ersten Aktes infolge seiner Ehrlich= keit, Selbstlosigkeit und aufopfernden Freundesliebe verfügt, ist am Schluß bis auf den letzten Rest verbraucht. Mag er seine Bestimmung erfüllen, der Dreizehnte bei Tische zu sein und als moralischer Bankrotteur seinem Leben ein Ende machen, wir weinen ihm keine Thräne nach. Der Dichter auch nicht. Im Gegenteil. Denn so sehr wir seine Absicht verkennen würden, wenn wir ihn jetzt auf die bedenkliche Lehre von der Notwendigkeit der Lebenslüge festnageln und mit der brüchigen Philosophie des Dr. Relling in allen Punkten identifizieren wollten, darüber kann kein Zweifel bestehen, daß das persönliche Urteil Rellings über Gregers Werle, über seine sittliche und geistige Minderwertigkeit und seine daraus hervorgehende Gemeingefährlichkeit jetzt ebenso Ibseus Überzeugung entspricht, wie er im Volksfeind sich mit Dr. Stockmann eins fühlte.

Aus der trüben Erkenntnis wie wenig der Durchschnittsmensch als Einzelwesen und als Gesamtheit es wert ist, daß eine Persönlichkeit sich für sein sittliches oder materielles Wohl aufopfert, daß das „Kreuzige, kreuzige ihn!" immer die einzige Antwort der Masse ist auf die Botschaft selbstloser Menschenliebe, aus dieser trüben Erkenntnis ist auch eine Geringschätzung, oder geringere Schätzung wenigstens, des sittlichen Wertes solcher Bemühungen an sich geboren. Wer an so minderwertige Objekte so viel Kraft verschwendet, beweist, daß ihm die rechte Einsicht in das Leben fehlt. Die Züge des idealen Wahrheitsfreundes und Volksbeglückers verzerren sich zur Fratze des Narren, der in seinem beschränkten Übereifer eine pathologische Erscheinung darstellt. Eine grenzenlose Welt- und Menschenverachtung atmet das Stück und zugleich eine grenzenlose Lebensmüdigkeit. Und insofern ist es charakteristisch, daß die persönliche Stellung des Dichters zu den Charakteren und Konflikten hier in der Regel am schärfsten zum Ausdruck kommt durch den moralisch Schiffbrüchigen Relling, der sich eine neue Philosophie auf der Lehre der „Notwendigkeit der Lüge zum Leben" aufbaut.

Wie Dr. Stockmann entdeckt, daß die ganze Badeanstalt ein vergifteter Sumpf ist, und fortan seine Aufgabe darin erblickt, diesen Sumpf auszurotten, entdeckt Gregers Werle eines Tages, daß das Haus seines Freundes Hjalmar Ekdal, „der großen, arglosen Kinderseele" auf einer Lüge sich aufbaut; und sofort weiß er, worin seine Lebensaufgabe besteht, den Freund aus diesem Sumpfe zu retten. Aber schon aus der Art, wie er im ersten Akt nach dem Aufschlusse über Hjalmars Häuslichkeit, die er teils durch diesen selbst, teils durch seinen Vater erhalten, seine Aufgabe faßt, im ersten Akt, wo der Dichter es noch geflissentlich vermieden hat, das einseitig Bornierte in ihm zu betonen, muß für den kritischen Betrachter ein Bedenken aufsteigen. Es ist nicht das persönliche, tiefe Interesse für den Jugendfreund — der ist ihm ziemlich gleichgültig, er hat sich Jahre lang nicht um ihn gekümmert, — sondern die Aufgabe, die ihm winkt, die Idee: hier kann ich zeigen, was ich für ein Kerl bin, die ihn ganz gefangen nimmt, und die ihn sich Hals über Kopf in ein Unternehmen stürzen läßt, dessen Umfang und Tragweite er gar nicht kennt. Es ist ihm schließlich ganz einerlei, was daraus wird, wenn er nur in die Möglichkeit versetzt wird, seine ideale Forderung an den Mann zu bringen. Nun ist er zwar, wie wir aus seinen mit Relling über dieses Thema gewechselten Worten im zweiten Akte erfahren, von jener Jugendeselei, in der er „in allen Bauernkathen umherlief und die ideale Forderung präsentierte," zurückgekommen. Er hat die Erfahrung machen müssen, daß sie ihm dort niemand honorierte, aber die Forderung selbst erhält er in ihrem ganzen Umfang aufrecht, wenn er sie auch jetzt nur bei einem „wirklichen, echten Menschen" geltend macht. Hier kommen wir eben auf etwas Neues: „Sie leiden an einem komplizierten Fall," sagt Relling, „zuerst dem gichtischen Rechenschaftsfieber; und dann — was schlimmer ist —

phantasieren Sie sich immer in ein Anbetungsdelirium hinein; immer wollen Sie etwas außer Ihren eigenen Angelegenheiten zu bewundern haben."

Das Unglück will es, daß er aus diesem Bewunde-rungsdelirium heraus seinen Freund Hjalmar für einen „wirklichen echten Menschen" in diesem Sinne hält, ohne zu ahnen, daß er auch diesmal wieder mit seiner Forde-rung nur in eine Hütte kommt, in der keine zahlungsfähigen Leute wohnen. Denn Freund Hjalmar, der Mann der Ent-schlüsse von übermorgen, der Erfinder und Familienversorger, der durch seine Erfindung, über die er jeden Tag nach Tisch auf dem Sofa nachdenkt, das Selbstgefühl „des Greises mit dem Silberhaar" von den Toten auferwecken will, einst-weilen aber seinen Thatendrang an doppelt bestrichenem Butter-brot, der Jagd in der Bodenkammer, der „amüsanten" Be-schäftigung, ein altes Jagdgewehr, mit dem man nicht mehr schießen kann, „auseinander zu nehmen, rein zu machen, mit Knochenfett einzuschmieren und wieder zusammenzusetzen," und geschwollenen Redensarten befriedigt und „seine Me-lancholie abgerechnet, sich so wohl befindet, als ein Mensch nur wünschen kann," hat ebenso wenig den Drang, sich seine Häuslichkeit, in der er sich so wohl fühlt, — „Es ist doch unser Heim und ich sage, hier ist gut sein", sagt er gerade in dem Augenblicke, als Gregers klopft, — durch mora-lische Bedenken irgend welcher Art verekeln zu lassen, wie sein Vater, „der Greis im Silberhaar", „der thatkräftige Mann am Rande des Grabes," ein anderes Ziel der Sehnsucht hat, als eine gefüllte Kognakflasche und freie Jagd auf dem Hausboden.

Die tragikomische Ironie aber beruht darin, daß Gregers, voreingenommen teils durch die, wie sich später herausstellt, in diesem Falle falschen Anklagen seiner schwer hysterischen Mutter, teils durch die fixe Idee, daß sein Freund Hjalmar

eine Wildente sei, die auf den Grund gegangen, um im
Dunkeln zu sterben — während er in Wirklichkeit vielmehr
ein Frosch ist, der auf den Grund gehört — seine Haupt=
aufgabe darin erblickt, ihn gerade von der einzigen Person
zu trennen, der er es allein zu verdanken hat, daß er nicht
in wüstem Bummelleben zu Grunde gegangen ist; daß er
nicht erkennt, wie diese Frau, trotz ihrer Vergangenheit, trotz
ihrer geistigen und sittlichen Beschränktheit in Wirklichkeit die
bessere Hälfte in dieser Ehe ist, und das den Freund aus
diesem „Sumpf" befreien, nicht ihn heben, sondern tiefer hinab=
stoßen heißt, zu den Molvig und Relling und den Stamm=
gästen der Frau Erihsen.

Ein geradezu diabolischer Humor liegt ferner darin, daß
er, als echter Quacksalber, wie ihn Relling einmal nennt, sich bei
seiner Kur nicht nur in der Diagnose irrt, sondern daß er auch
bei den Mitteln, die er anwendet, es in der Dosis versieht. Die
Dosis idealer Forderungen, die er dem guten Hjalmar nolens
volens eintrichtert, ist für diese schwache Konstitution viel zu stark.
Statt moralisch zu transpirieren, wie er erwartet, und in der
Einsamkeit seinen besseren Menschen wiederzufinden, ist die
einzige Folge, daß der Patient zunächst sämtliche moralische
Lehren, die er hat schlucken müssen, unverdaut wieder von
sich giebt, und dann, wie von einem Fieberdelirium gepackt, dem
Arzt einfach durchgeht und sein erschüttertes seelisches Gleich=
gewicht mit Molvig und Relling in der Kneipe wieder her=
zustellen sucht.

Und ferner liegt ein diabolischer Humor darin, daß
der Quacksalber, als dieselbe Kur, die er mit falschen Mitteln
am unrechten Ort eingeleitet, von andern Leuten am rechten
Ort mit richtigen Mitteln versucht wird, d. h. als sein
eigener Vater und Frau Sörby, genau nach seinem Rezept,
eine echte Ehe schließen, die auf volles Vertrauen gegründet
ist, auf volle und ganze Offenherzigkeit von beiden Seiten,

nachdem „eine gegenseitige Verzeihung der beiden Sünder" stattgefunden hat, diesem Fall und seiner Nutzanwendung auf den Fall Hjalmar Ekdal total wehrlos gegenübersteht.

Ja in der That, es ist trotz aller herben Menschen=verachtung und Bitterkeit, die schon aus der Problemstellung sich ergiebt, in diesem Konflikt, in dem Gregers Werle in der Rolle des moralischen Quacksalbers sich so grenzenlos blamiert, in den Szenen, in denen wir einen Einblick in das Seelen=leben der negativen Persönlichkeit Hjalmer Ekdals, in das wunderbar muffig = phantastische Milieu dieser gestrandeten Familie gewinnen, eine solche Fülle von Humor und Satire zusammengedrängt, daß alle Vorbedingungen zu einer groß=artigen, echten Komödie, die mit einem schallenden Hohn=gelächter schließen müßte, gegeben sind.

Nun ist aber mit dem Problem des komisch wirkenden Menschenbeglückungsdilettantismus ein zweites verknüpft wor=den, das so tiefernst, so rührend, erschütternd und zugleich im Ausgang so herb tragisch ist, daß seine Schatten die humo=ristisch=satirischen Lichter völlig aufsaugen und die komischen Masken der Träger dieser Handlung ins Grausige verzerren.

Nur eine Persönlichkeit nimmt die ideale Forderung, mit der Gregers Werle hausieren geht, ernsthaft auf; und das ist gerade die, die zwar im höchsten Sinne zahlungsfähig ist, weil sie über ein noch von keiner Leidenschaft und keiner Schuld angegriffenes Kapital von sittlicher Kraft verfügt, der aber in ihrer kindlichen Reinheit und Unerfahrenheit jede Einsicht in den wahren Zusammenhang der Dinge und das Maß und den Geltungsbereich, der von jedem Einzelnen zu erfüllen=den Pflichten abgeht: Hedwig! Das Gegengift gegen die mora=lische Gewaltkur Gregers, das Hjalmar in seiner grenzenlosen Oberflächlichkeit und in seinem schamlosen Egoismus, Gina in ihrem derben, nur auf Thatsachen reagierenden Wirklichkeits=sinn besitzt, ist ihr versagt: „Auf der Schwelle zwischen Kind

6*

und Jungfrau, in jener Hochspannung der Gefühle, die keine
Steigerung mehr verträgt und die doch ein krankhaftes Verlangen danach hat," ist sie für die gefährliche Suggestion des
verschrobenen Gregers Werle ein nur zu sehr veranlagtes
Objekt. Dem thörichten Gedanken, durch ein schlagendes Beispiel großer, freiwilliger Opferstimmung den durch seine Mittel
außer Rand und Band geratenen Freund Hjalmar wieder in
die Bahn einzulenken, die er für die allein richtige hält,
öffnet sich ihre junge Seele mit schwärmerischer Begeisterung:
„Wer einen Menschen wahrhaft liebt, der muß bereit sein, das
Beste was er auf der Welt kennt und besitzt, opferwillig für
ihn hinzugeben." Dieser Gedanke kaum hingeworfen, schlägt
Wurzel iu ihrem Innern und gewinnt Macht über ihr
Denken und Fühlen: sie beschließt ihr Liebstes, die Wildente,
zu opfern. Freilich in der kühlen Morgenfrische sträubt sich
ihr ursprüngliches, gesundes Gefühl noch einmal dagegen:
„Gestern Abend ... fand ich etwas so Schönes darin, aber
als ich geschlafen hatte und darüber wieder nachdachte, fand
ich weiter nichts darin." Aber unglücklicherweise hat der
thörichte Berater Gelegenheit, ihr noch einmal den Gedanken
von der Notwendigkeit und Verdienstlichkeit des freiwilligen
Opfers zu suggerieren, ihr „den wahren, freudigen, mutigen
Opfersinn" als ihre Pflicht vorzugaukeln. Die brutale Behandlung des kaum aus seinem Rausch erwachten Hjalmar thut
das Ihrige dazu, den wankend gewordenen Entschluß zu be-
festigen. Sie ist bereit, mit eigener Hand das Liebste zu opfern.
In höchster, seliger Erregung umspannt die kleine, tapfere Hand
die totbringende Waffe. Da hört sie von den Lippen desselben Mannes, dessen Leben zu erhalten ihr Lebensinhalt
war, das brutale Wort: „Hedwig ist mir im Wege. Sie
nimmt mir die Sonne von meinem ganzen Leben," und mehr
als das, den schnödesten, aus seiner gemeinen, keines Opfers
fähigen Seele geborenen Zweifel: „Wenn ich sie fragte:

„Hedwig, bist Du bereit, für mich das Leben zu lassen? ...
Ja danke schön, Du solltest schon hören, welche Antwort ich
bekäme." Und da giebt sie die Antwort, indem sie ohne
Zucken die Waffe gegen das eigene Herz richtet.

„Eine Rose gebrochen, ehe der Sturm sie entblättert,"
möchte man auch hier sagen. Und doch ist das, was hier
geschehen, viel grausamer, viel widernatürlicher und empören=
der. Denn ein verschrobener Narr war es, der ihr die
Waffe in die Hand drückte, und ein erbärmlicher Lump,
der nicht einmal den Schuß Pulver wert ist, der ihn selbst
aus dem Leben beförderte, ist es, dem zwecklos dies Opfer
gebracht wird.

Die trübselige Lebensphilosophie aber, die in den Worten
gipfelt: „Nehmen sie einem Durchschnittsmenschen die Lebens=
lüge und sie nehmen ihm gleichzeitig das Glück," und die
auch jetzt noch der Meinung ist, „das Leben könnte schon
ganz gut sein, wenn wir nur vor diesen lieben Gläubigern
verschont blieben, die uns Armen das Haus einlaufen mit
ihren idealen Forderungen," die paßt wohl als cynischer Schluß=
akkord zu der Tragikomödie des Hauses Ekdal, die den Namen
führen könnte: „Der Narr als Erzieher," aber sie vermag
die Dissonanz nicht aufzulösen, die diese zwecklose Hinopferung
weckt. In der That, so innig verschlungen Hedwigs
Gestalt und ihre Schicksale mit den Gliedern des Hauses
Werle und Ekdal scheinen, innerlich hängt ihr Schicksal und
ihre tragische That freiwilliger Selbstaufopferung nur sehr lose
mit dem Hauptproblem der „Wildente" zusammen.

Zweierlei tritt uns, außer der veränderten Lebens= und
und Gesellschaftsperspektive bei diesem Drama Ibsens als
neu in seiner Kunst entgegen. Einmal das allerdings bereits
früher gelegentlich zu Tage getretene, hier aber zum ersten
mal, wie mir scheint, als bewußtes Kunstmittel durchgeführte
Verfahren, den Zuschauer möglichst lange über den Charakter

der auftretenden Personen und über den wahren Gehalt in
der Vergangenheit liegender Ereignisse im Ungewissen zu lassen,
ja ihn geradezu zu täuschen und irrezuführen. Die Menschen
treten alle zunächst mit Masken auf, oder richtiger hinter einem
Schleier, der sich erst allmählich lüftet. In der ersten Auseinan-
andersetzung zwischen Vater und Sohn Werle erscheint letzterer
entschieden in ungleich günstigerem Licht als der Vater, nicht zum
wenigsten auch dank der Beleuchtung, in der dort die Vergangenheit sich darstellt. Je weiter das Stück vorrückt, desto
mehr werden wir irre an der Richtigkeit der damals gegebenen
Perspektive, und zwar nicht nur weil Gregers sich so töricht
benimmt, sondern auch weil wir von anderer Seite über die
häuslichen Zustände im Werleschen Hause, den Charakter der
Mutter 2c., neue Aufklärung bekommen, so daß am Schluß
unser Urteil über den alten Werle erheblich milder sein wird,
als wir unter dem Eindruck des ersten Aktes für möglich
hielten. Ähnlich ist es mit Frau Sörby. Am auffallendsten
ist dies Bestreben, uns zunächst auf eine falsche Spur zu locken,
bei Hjalmar, wenn es auch, was bei seiner Persönlichkeit
natürlich ist, hier nur für einige Szenen von Erfolg ist; er
lüftet den Schleier sehr schnell; aber im Eingang erscheint
er lediglich als ein gutmütiger, etwas einfältiger, weltfremder
Mensch, der vom Schicksal unverdient hart mitgenommen
ist. Immerhin ist auch hier schon der Schleier so weit ge-
lüftet, daß seine Minderwertigkeit und infolgedessen seine Über-
schätzung durch Gregers uns einleuchtet. Eine ähnliche Umwandlung, diesmal zum besseren, die aber auch nicht in einer
innern Entwickelung, sondern lediglich in der angedeuteten
Methode der allmählichen Enthüllung des thatsächlich fertigen
Charakters ihren Grund hat, können wir an Relling beobachten, der abgesehen von allem andern durch die kleine Szene
mit Frau Sörby auf einmal in einem neuen Lichte erscheint.
Ähnlich gewinnt Gina, je länger wir sie beobachten. Nur

Hedwig ift von Anfang bis zum Schluß in denſelben zarten, reinen Konturen gehalten.

Das zweite Element, das hier zum erſten Mal ſtärker und beherrſchender hervortritt, iſt das Symboliſche. Es ſpielt ja auch in den früheren Stücken ſchon zweifellos ein Rolle, aber doch ganz anderer Art. Dort wird gern, wenn ſich die Gelegenheit bietet, das Thatſächliche ſymboliſch gefaßt, aus= gebeutet: in den „Stützen der Geſellſchaft" das halbverfaulte Schiff, im „Volksfeind" der Sumpf, in den „Geſpenſtern", die Geſpenſter der anerzogenen falſchen Meinungen, von denen wir nicht loskommen können. Hier aber erſcheint das Sym= boliſche zuerſt als Selbſtzweck. Nicht etwas an und für ſich im Drama Vorhandenes wird in ein Symbol verwandelt, ſondern es wird etwas in das Stück hineingebracht, das an und für ſich gleichgültig iſt und nur durch die ſym= boliſche Deutung, die ihm gegeben wird, Bedeutung be= kommt. So hier die Wildente; ſie iſt das Schulbeiſpiel, an dem Gregers Hjalmar ſeine moraliſche Rettungstheorie veranſchaulicht. An dieſen ſymboliſchen Kern ſchießen, nun, wie einem geheimen Naturgeſetz folgend, eine ganze Reihe mehr oder minder innig damit zuſammenhängender ſymboliſcher Vorſtellungen und Bilder an. Die Wildente iſt zunächſt das Symbol für den alten Ekdal, er iſt flügel= lahm geſchoſſen und hat ſich in den Grund gebohrt und iſt ſo lange darin geweſen, daß er, wie ſie, „das richtige, wilde Leben vergeſſen hat".

Es iſt bezeichnend, daß niemand an dieſem Gedanken= ſpiel mit geheimen, ſymboliſchen Deutungen mehr Freude hat, als Gregers. Kaum hat er das Bild der Wildente, ſo wird ihm auch der wilde Hund, der nach ihr taucht und ſie heraufholt, zum eignen Symbol; er ſelbſt iſt der flinke Hund, der auf den Grund nach Wildenten geht. Er iſt es auch, der mit Hedwig über die Tiefe des Meeres philoſophiert, als die ihr bisweilen der Bodenraum erscheint und der ihr dann, als sie das selbst eine dumme Idee nennt, vorwurfs= voll sagt: „Das sollten Sie doch nicht sagen"; der auf ihren Einwand: „Ist es ja doch nur ein Bodenraum," sie eindring= lich fragt: „Sind Sie dessen so sicher?" „Daß es ein Boden= raum ist?" „Ja wissen Sie das so gewiß?" und sie dadurch in unendliche Verwirrung versetzt. Aus solchen Gedanken= gängen heraus ist man auch geneigt, dem alten Jagdgewehr, das zu nichts mehr nütze ist, und nur noch auseinandergenom= men und geputzt wird, eine symbolische Bedeutung für den alten Ekdal zuzuschreiben, und hinter dem Umstande, daß der alte Graukopf, „der Mann im Silberhaar", den sein Sohn immer im Munde führt, thatsächlich eine fuchsige Perücke trägt, einen tiefen symbolischen Sinn zu suchen. Genug, es beginnt hier zum ersten Mal jene eigentümlich geheimnisvolle, symbolische Atmosphäre Menschen und Konflikte zu um= spielen und zu umhüllen, die seitdem für Ibsen und seine Gestalten die Lebensluft werden sollte.

VI. Rosmersholm.

Auf dem im westlichen Norwegen gelegenen Herrensitz Rosmersholm, seit Jahrhunderten im Besitz der Familie Rosmer, einer der vornehmsten und angesehensten des ganzen Landes, deren Glieder dem Staate seit langen Generationen in höchsten Ehrenstellen als Beamte, Geistliche, Militärs gedient haben, und die besonders in ihrem heimischen Distrikte eines autoritativen Ansehens sich weit über den Kreis der Gutsangehörigen erfreuten, haben sich kurz hintereinander zwei Vorgänge ereignet, die namentlich hinsichtlich ihres innern, ursächlichen Zusammenhanges Anlaß zu den abenteuerlichsten Gerüchten und weitauseinandergehenden Vermutungen geben sollten.

Auf Rosmersholm lebte seit einer Reihe von Jahren der letzte des Geschlechts, Johannes Rosmer, der, eine stille Gelehrtennatur, nachdem er das Pfarramt, das er einige Jahre mit Erfolg bekleidet, um ganz seinen Studien sich widmen zu können, niedergelegt hatte, wenig an die Öffentlichkeit trat, trotzdem aber sich in der ganzen Gegend des höchsten Ansehens und der größten Beliebtheit bei Vornehm und Gering erfreute. Man schätzte seinen makellosen Charakter und seine Leutseligkeit, die ihm, im Gegensatz zu seinen Vorfahren, die mehr Respekt als Liebe genossen hatten, gerade bei den Eingesessenen seines Distrikts ein großes Vertrauen erworben hatte. Um so lebhaftere Teilnahme erregte schon seit langer Zeit, was über seine häuslichen Verhältnisse verlautete. Seine Frau, eine zarte aber sehr leidenschaftliche und leicht erregbare Natur war schon seit Jahren schwer leidend. Es war ein öffentliches Geheimnis, daß zu körperlicher Krankheit, die Nachkommenschaft ausschloß, sich auch eine des Gemüts gesellt hatte, und daß der Zustand der armen Kranken, die mit größter, hingebender Liebe von ihrem Manne unter Beihilfe einer zur Pflege engagierten jungen Dame, Fräulein West, der mittellosen Adoptivtochter eines vor wenigen Jahren verstorbenen Distriktsarztes in den Finnmarken, gepflegt wurde, den Angehörigen oft Anlaß zu ernster Sorge gab. Als man daher eines Tages erfuhr, daß die Unglückliche in einem Anfall von Verfolgungswahn oder was sonst, die Wachsamkeit ihrer Pfleger täuschend, sich durch einen Sprung in den am Park vorbeifließenden reißenden Bach das Leben genommen, war man von diesem Ausgange nicht so sehr überrascht, wenn auch das Schicksal Rosmers allgemeinste Teilnahme erregte. Rosmer selbst aber schien den Schlag leichter zu verwinden, als man vielleicht geglaubt. Es war, als sei eine Last von ihm genommen, und so wenig er auch jetzt eigentlich in die Öffentlichkeit trat, so spürten doch alle, die mit ihm in Berührung kamen, eine gewisse, früher an ihm nicht gekannte, Lebensfreudigkeit. Seine Studien schienen ihn jetzt mehr denn je auszufüllen und zu befriedigen; und den nächsten Hausgenossen entging nicht, daß die rege und verständnisvolle Teilnahme, die er für diese Dinge bei der Freundin und Pflegerin der Verstorbenen, die nach der Katastrophe im Hause geblieben war, fand, zu dieser Wandlung nicht wenig beitrug. Eben diesen entging aber auch nicht, daß er auf seinen täglichen Wegen die Stelle, an der seine Frau den Tod gesucht und gefunden, ängstlich vermied, trotzdem es ihn zu großen Umwegen zwang. Immerhin erschien die Zeit nicht mehr allzu fern, wo auf den Ruinen des alten Glücks sich ein neues aufbauen, Rosmersholm eine

neue Herrin erhalten und der jetzt dreiundvierzigjährige Rosmer
in einer auf höchster, geistiger Interessengemeinschaft begründeten
zweiten Ehe das Glück finden sollte, das ihm in der ersten
versagt geblieben. Man sprach auch davon, daß es nun vielleicht gelingen könne, Rosmer aus seiner, bisher durch die
häuslichen Verhältnisse, mindestens ebenso sehr wie durch sein
angeborenes Temperament zu erklärenden Zurückgezogenheit
zu reißen, und das Ansehen seines alten Namens und seine
persönliche Beliebtheit im Kampf der politischen Parteien
gegen den gefährlich überhandnehmenden politischen und religiösen Radikalismus zu verwerten. Man gab sich in konservativen Kreisen sogar der Hoffnung hin, er werde sich gewinnen lassen für die Leitung einer neuen, antiradikalen Zeitung,
die die gefährlichen, umstürzlerischen Bestrebungen des radikalen
„Leuchtthurms", der mit ebensoviel Geschick wie Rücksichtslosigkeit von einem gesellschaftlich verrufenen Menschen,
Peter Mortensgard, geleitet wurde, bekämpfen und paralysieren
sollte. Man durfte um so eher darauf rechnen, als
Rosmers eigener Schwager, der Bruder seiner verstorbenen
Frau, Rektor Kroll, sich in dieser Hinsicht sehr zuversichtlich
und hoffnungsvoll aussprach. Denn Kroll, obwohl er in
den rund anderthalb Jahren, die seit jenem traurigen Ereignis
verstrichen waren, aus Scheu, durch seine Anwesenheit die
Wunde in Rosmers Herzen aufzurühren, mit jenem wenig
oder gar keine Fühlung mehr gehabt hatte, zweifelte nicht
einen Augenblick an dem Erfolg, nicht zum mindesten deshalb, weil ihm wohl bewußt war, wie außerordentlich
empfänglich Johannes Rosmer „für äußere Eindrücke" sei.
Wie groß und wie peinlich mußte daher für alle Gutgesinnten
das Erstaunen und das Befremden sein, als eines schönen
Morgens in der konservativen Amtszeitung plötzlich ein, in den
schärfsten, maßlosesten Ausdrücken abgefaßter Angriff gegen eben
diesen Johannes Rosmer zu lesen stand, der ihn nicht nur als

heimlichen „Verräter an der guten Sache," als eine „Judas=
natur", als einen Mann, der aus gemeinsten, streberhaften
Motiven den Abfall jetzt frech bekenne, brandmarkte, sondern auch
in allerlei geheimnisvolle Andeutungen auslief, die weitere Ent=
hüllungen über „unheilvollen Einfluß, der sich möglicherweise
sogar auf Gebiete erstreckt, die wir vorläufig nicht zum Gegen=
stand öffentlicher Erörterungen machen wollen," in Aussicht stellte.
Und wer vielleicht noch einen Augenblick geneigt sein mochte, hier
Mißverständnis und Verläumdung zu vermuten, der ward zu
seinem Befremden eines Besseren belehrt, indem gleichzeitig
das radikale Blatt sich ermächtigt erklärte, Rosmer für seine
Bestrebungen und Ansichten als Gesinnungsgenossen in An=
spruch zu nehmen. Ja, als ob auf einmal geheime Schleusen
sich geöffnet hätten, brach plötzlich von allen Seiten eine Flut=
welle von Gerüchten, Reden, Anzeichen herein, die das ganze
Charakterbild Johannes Rosmers zu überspülen und zu unter=
graben drohte. Gerade in den Tagen war Rosmers ehemaliger
Lehrer, ein im Trunke und in Gemeinheit verkommenes Genie,
Ulrik Brendel, in der Gegend wieder aufgetaucht, hatte sich in
den Kneipen nicht nur Rosmers Gönnerschaft gerühmt, sondern
hatte sogar eine direkte Empfehlung aus Rosmersholm an
Mortensgard vorweisen können. Und wieder von einer anderen
Seite, man wußte nicht recht, woher es kam, da krochen aus dem
Dunkel hervor geheimnisvolle Andeutungen über schändliche
Dinge, die im Stammsitz der Rosmer, im Hause des ehemaligen
Pfarrers sich abgespielt hätten: Der Selbstmord der Frau sei
keine Wahnsinnsthat gewesen, sondern ein Akt der Verzweiflung
angesichts des schnöden Treubruchs, begangen unter ihrem Dache
von Mann und Freundin. Und diese Freundin, diese Fremde,
die seit $1\frac{1}{2}$ Jahren allein mit Rosmer hauste, wer war sie
eigentlich? Niemand kannte sie, niemand ihre Herkunft; dunkle
Gerüchte seltsamer, verwirrender Natur aus ferner Vergangen=
heit auftauchend, schwirrten unkontrollierbar, unentwirrbar in

der Luft umher. Da — ehe man noch Zeit gewonnen, sich einigermaßen von diesen betäubenden und rätselhaften Eindrücken zu erholen, zu sammeln, schlug wie eine Bombe die Nachricht ein, daß auf Rosmersholm eine furchtbare Katastrophe eingetreten sei. Johannes Rosmer und jene Fremde hätten ihrem Leben selbst ein Ende gemacht, zusammen, an der selben Stelle, wo einst Frau Rosmer den Tod gesucht und gefunden. Und um das Rätsel noch vollständiger zu machen, erfuhr man, daß nach einer heftigen Auseinandersetzung, die zwischen beiden am Morgen des Tages, in Gegenwart des Bruders der verstorbenen Frau Rosmer stattgefunden, Rosmer mit diesem das Haus verlassen habe, während Fräulein West den Entschluß geäußert habe, sofort abzureisen. Im Hause seines Schwagers habe dann eine Aussprache zwischen Rosmer und seinen alten Freunden stattgefunden, die in jenen den Eindruck hinterlassen hätte, daß alle Mißverständnisse beigelegt seien, und Rosmer alles eher im Sinne habe, als eine agitatorische Thätigkeit gegen seine ehemaligen Freunde zu entfalten. Spät Abends heimgekehrt habe er Fräulein West reisefertig vorgefunden, im Begriff mit dem um Mitternacht abgehenden Dampfer nach Norden abzureisen. Nach einer nochmaligen Unterredung unter vier Augen hätten dann beide gemeinsam das Haus verlassen und sich zu dem Steg begeben, von dem seinerzeit sich Rosmers Frau herabgestürzt. Man habe gesehen, wie beide sich umschlangen und dann in den reißenden Bach hinabgesprungen seien. Hilfe sei zu spät gekommen. Da die letzte Unterredung zwischen den beiden ohne Zeugen gewesen sei, stehe man vor einem vollkommenen Rätsel. Denn weder Rosmer noch Fräulein West hätten bis zuletzt, in ihrem Benehmen andern gegenüber, auch nur die leiseste Andeutung gemacht, daß sie mit dem Entschlusse zu sterben umgingen. Die Idee müsse ganz plötzlich gekommen sein. Auch die nächsten Angehörigen, vor allem der Schwager Rosmers, seien offenbar vollkommen überrascht.

So etwa stellt sich das Bild der seltsamen und tragischen Begebenheiten dar, wie sie für einen außenstehenden Beobachter sich zugetragen haben, wie sie die Zeitung mit einem Wort, gegebenen Falles etwa berichten würde oder könnte. Ein findiger Reporter würde vielleicht noch aus Umfragen bei der Dienerschaft in Rosmersholm feststellen, daß man dort an eine schuldvolle Verbindung der beiden gemeinsam in den Tod Gegangenen während Lebzeiten der Frau nie geglaubt und auch bis unmittelbar vor der Katastrophe überhaupt an andere als nur geistige Beziehungen zwischen ihnen nicht gedacht habe. In den letzten Tagen sei man freilich, aber vielleicht mehr unter dem Eindruck der heftigen Preßangriffe gegen Rosmers Charakter, als aus eigenen Beobachtungen irre geworden und habe sich schließlich die Sache so zurechtgelegt, daß doch wohl auch Beziehungen anderer Art zwischen ihnen bestanden hätten, und daß Johannes Rosmer nun, unter dem Einfluß seines Schwagers und dem Eindruck der Preßangriffe den Versuch gemacht habe, sich seiner aus diesen Beziehungen erwachsenen Verpflichtungen zu entledigen dadurch, daß er Frl. West veranlaßt habe, das Haus zu verlassen. Als ein merkwürdiges Spiel des Zufalls würde es dieser findige Reporter dann vielleicht noch bezeichnen, daß in derselben Nacht, in der Johannes Rosmer in den Tod ging, auch sein ehemaligen Lehrer Ulrik Brendel seinem verfehlten Leben in Verzweiflung ein Ende gemacht habe. Man wolle sogar wissen, daß er noch unmittelbar vor seinem Tode Rosmer aufgesucht und mit ihm gesprochen habe. Die Vermutung liege wohl nahe, daß jener, entrüstet über das skandalöse Betragen des verkommenen Menschen, ihm jede weitere Unterstützung verweigert und ihn dadurch in den Tod getrieben habe.

Wer aber etwa das Glück genösse, zu dem näheren Freundes-
kreise des Rektor Kroll und seiner Gattin zu gehören, der
würde vielleicht noch mehr erfahren können und wenn auch
nicht das letzte, so doch manches Rätsel in dieser tragischen
Familiengeschichte zu lösen vermögen, oder jedenfalls glauben,
lösen zu können. Er würde dort hören, wie nicht Johannes
Rosmer der edle, vornehme, nur leider ein wenig zu leicht
bestimmbare, in den Traditionen seines Hauses aufgewachsene
und erzogene Herr von Rosmersholm, „das seit undenklichen
Zeiten ein Ausgangspunkt für Zucht und Ordnung gewesen,
für respektvolle Achtung vor dem, was die Besten unserer
Gesellschaft anerkennen und behaupten", der Schuldige gewesen,
oder die Rolle des Verführers gespielt habe, sondern daß er vielmehr das Opfer geworden sei der dämonischen Verführungs-
künste jener Fremden, die ihn ebenso völlig zu umgarnen
verstanden, wie einst seine Frau, und, würde vielleicht Frau
Kroll beziehungsvoll hinzusetzen, auch andere Leute, bei denen
man es nicht für möglich halten sollte. Man würde da erfahren, daß dieses Fräulein Rebekka West eine gewissenlose
Abenteuerin schlimmster Sorte gewesen sei, die mit der festen
Absicht, sich in Rosmersholm festzusetzen, sich dort Eingang
und Vertrauen zu verschaffen gewußt, die, nachdem sie die
arme Frau vollkommen behext und sie „in eine wahre Anbetung,
in eine Art verzweifelter Verliebtheit" gehetzt, mit satanischer
Bosheit und raffinierter Kälte das arme, geistig und körperlich wenig widerstandsfähige Wesen systematisch Schritt für
Schritt aus dem Leben hinausgedrängt, ihr die Vorstellung
suggeriert habe, sie sei im Wege, und sie dadurch auf den
Weg des Wahnsinns gescheucht habe; sie sei sogar so weit
gegangen, sich selbst unlauterer Beziehungen zu dem nichts
ahnenden Rosmer anzuklagen, anzudeuten, daß es höchste
Zeit für sie sei, das Haus zu verlassen, während sie gleichzeitig durch medizinische Bücher, die sie der Kranken in die

Hände spielte, den Schmerz über das ihr versagte Mutterglück
bis zur Unerträglichkeit steigerte und durch Andeutungen über
den Abfall ihres Mannes vom Glauben seiner Väter sie in
namenlose Angst- und Gewissensqualen hineingehetzt habe.
Schließlich habe jene nicht mehr aus noch ein gewußt und sei
in den Tod gegangen. Leider sei den hexenhaften Verführungs-
künsten dieser gräßlichen Person, die sich zu all diesen Greueln
vor Zeugen selbst bekannt habe, auch Rosmer selbst unterlegen
insofern, als sie seinen Glauben und seine Moral durch ihre,
auf dem Standpunkt des schamlosesten religiösen und sittlichen
Nihilismus stehenden Ansichten untergraben, indem sie ihm
eingeredet habe, daß er berufen sei, als ein Befreier seiner
Mitmenschen aus den Banden der Geisteskne chtschaft zu wirken,
alles offenbar nur in der Absicht, um ihn dadurch von
seinen Freunden zu trennen und ihn ganz sicher für sich allein
zu haben. Und zweifellos würde sie auch diesen Zweck erreicht
haben, wenn nicht Rektor Kroll glücklicherweise auf ihre
Schliche gekommen wäre und sie schließlich gezwungen hätte,
in seiner Gegenwart Rosmer ein offenes Bekenntnis ihrer
Greuel abzulegen. Damit habe natürlich ihre Herrschaft auf
Rosmersholm, ihre Gewalt über Rosmer, ein jähes Ende
gefunden. Übrigens habe sich dabei herausgestellt, daß ihre
Herkunft mehr als bedenklich sei, was ja dann wieder
ihre große sittliche Verdorbenheit, die in ihrer bodenlosen
Lügenhaftigkeit zum Ausdruck komme, erkläre. Sie scheine
die Frucht eines ehebrecherischen Verhältnisses, das ihr an-
geblicher Adoptivvater, der übelbeleumundete Arzt Dr. West,
mit ihrer Mutter unterhalten habe. Merkwürdig sei freilich,
daß sie, die schließlich selbst in allen Punkten ihre Schuld
bekannt habe, gerade diesen einen Punkt ihrer Abstammung,
an dem sie keine Schuld habe, bis zuletzt mit einer ganz un-
erklärlichen Heftigkeit und Leidenschaftlichkeit als nicht den
Thatsachen entsprechend bestritten habe. Bei alledem aber

bleibe das Eine vollkommen rätselhaft, wie, mit welchen Mitteln
diese Person es möglich gemacht, Rosmer, nachdem er durch
sie selbst unzweideutigste Aufklärung über ihre niedrige und
gemeine Natur empfangen, nachdem er sich von ihr losgesagt,
noch einmal wieder in ihre Netze zu ziehen, ja ihn so darin
zu verstricken, daß er einem glücklichen, von keinem Schatten
der Schuld getrübten Leben den Tod, und zwar den Tod
mit ihr, mit der Mörderin seiner Frau, vorgezogen habe.
Die Lösung des Rätsels habe er mit ins Grab genommen.

Das würde etwa das Material sein, das die Familie Kroll
zu der Erklärung der Katastrophe auf Rosmersholm beisteuern
könnte. Und sie würde wahrscheinlich, trotzdem sie am Schluß
versagt, den meisten als völlig genügend erscheinen, da ja
an der Richtigkeit der Selbstbeschuldigungen kein Zweifel
möglich ist, zumal sie genau den sichtbaren Thatsachen ent=
sprechen. Die meisten würden sich danach als völlig eingeweiht
in die geheimsten Ursachen des tragischen Vorganges betrachten,
während sie damit in Wahrheit nur bis an die äußere Hülle
des Kernes jener seelischen Vorgänge gedrungen wären, aus
denen das Leben Johannes Rosmers und Rebekka Wests zu
einer tragischen Einheit zusammen wachsen mußten.

Wir dürfen das sagen, weil wir der letzten Entschleierung,
in der die beiden, dicht vor dem selbstgewählten Ziel, die
Summe ihres Lebens mit und gegeneinander aufrechneten,
als ungesehene Zuschauer beigewohnt haben und wissen, wie
wenig das Fazit, das die Leute draußen ausgerechnet haben,
zu dem wirklichen Fazit stimmt.

Was sagt nun uns dies Menschenschicksal? was wollte
der Dichter, als er uns an ihm teilnehmen ließ?

Einen Augenblick, in den ersten Szenen des ersten Aktes,
und auch an einigen späteren Wendepunkten, kann man sich
des Eindrucks nicht erwehren, als ob ursprünglich ein
Problem der modernen Soziologie den Ausgangspunkt für

Litzmann. Ibsen.   7

die gestaltende Phantasie gegeben hätte. Es ist ein jüngeres
Geschlecht, das uns hier entgegentritt, als das was auf
den Schauplätzen der früheren Dramen unsere Teilnehmer
erregte. Ein Geschlecht, das nicht wie jene, aus leidenschaft=
lichen Impulsen, mehr oder minder klar bewußten dunklen
Trieben nach Freiheit, in einen Konflikt gerät mit überlie=
ferten Vorurteilen, herrschenden Ansichten oder überkommenen
Pflichten, sondern ein Geschlecht, das den Kampf mit dem
Herkommen führt aus einer, in strenger logischer Denkarbeit
gewonnenen, neuen Lebensauffassung. Ein Geschlecht, das nicht,
wie die Nora, Helene Alving, Dr. Stockmann, sich eines
unvermittelbaren Gegensatzes zwischen ihrem Empfinden und
dem der herrschenden Meinung in dem Augenblick erst bewußt
geworden ist, wo ihm eine persönliche Erfahrung, ein persön=
licher Konflikt das Messer an die Kehle setzt, sondern das in
der Theorie schon die Trennung vollzogen hat, lange ehe
ein Zwischenfall des Lebens zwingt, die praktische Konsequenz
zu ziehen. Ein Geschlecht infolgedessen, das nicht mehr in
einzelnen Waffengängen Einzelner seine Schlachten schlägt,
sondern das als eine geschlossene Reihe, mit dem Gefühl
der Solidarität, den Kampf aufnimmt, das infolgedessen
ferner eine neue ideelle, Gesellschaft darstellt, die auch äußerlich
darin sich von der herrschenden unterscheidet, daß sie mit den durch
Abkunft, Erziehung, Herkommen im weitesten Sinne ge=
schaffenen Abgrenzungen nach Klassen und Geschlechtern bricht,
und, wie sie die Glieder einer Familie, Eltern und Kinder,
Mann und Frau auseinanderreißt, alle Stände, alle Berufs=
arten, alle Geschlechter, alle Lebensalter in ihre Reihen auf=
nimmt und zusammenbringt.

So finden sich der dämonische Schwarmgeist im grauen
Bart, Ulrik Brendel, dessen Gewaltnatur auch nicht die
leiseste und notwendigste Fessel leidet, mit dem kühl
berechnenden Agitator und Seelenfänger Peter Mortensgard,

trotz gegenseitiger Antipathie ebenso in derselben Reihe zu-
sammen wie die rebellischen Kinder des Rektors Kroll, den
selbst die eigene Frau geistige Abfallsgelüste verspüren läßt.
Und so hat sich auch Johannes Rosmer, der im Bann der
Überlieferungen seiner Familie, unter den glorreichen Ahnen-
bildern von Rosmersholm aufgewachsen ist, der in historischen
Sammlungen und alten Stammbäumen vergraben, in der
That mehr als die meisten „tief in seinem Geschlecht wurzelt"
(wie Rebekka einmal sagt), und der in all seiner Weichheit und
Milde, seiner Abneigung gegen Kampf und Leidenschaft, doch einen
ungemein feinen und strengen Wahrheitssinn besitzt, zusammenge-
funden mit der verschlagenen, von glühender Leidenschaftlichkeit
durchwühlten und verkehrten, sittlich absolut vorurteilslosen, in
grauenhaftester Weise um ihre Kindesunschuld betrogenen und
dadurch, mehr noch als durch ihre Abstammung an sich, von
vornherein für alle zarteren und edleren Familienempfindungen
abgestorbenen Rebekka West, wie zwei gute Kameraden in dem
gemeinsamen Gedanken des Kampfes gegen das blinde Herkommen, das die Geister knechtet.

Aber wenn auch gleich im Eingang der kampffreudige
Rektor Kroll das Thema vom Bürgerkriege anschlägt, wenn
auch gerade durch diesen die beiden Bewohner von Rosmersholm in einen Kampf mit der öffentlichen Meinung und mit
dem Herkommen gerissen werden, und wenn durch die Gestalt
des Agitators Mortensgard, durch sein früheres Schicksal nicht
minder, wie durch die Rolle, die er den Ereignissen und
Menschen in Rosmersholm gegenüber spielt, immer wieder
an den da draußen zwischen der alten und neuen Zeit
tobenden Kampf erinnert wird, so ist doch dies nicht der
Konflikt, um den es sich eigentlich in dieser Dichtung handelt,
geschweige denn der, an dem die beiden Hauptgestalten
Rosmer und Rebekka, so sehr es nach außen so scheint, zu
Grunde gehen. Vielmehr ist das ein rein persönlicher,

7*

seelischer Konflikt, in den nicht sie beide gegen die Welt, sondern, außer der Welt, miteinander geraten; ein Konflikt, der zwar auch insofern ein sozialer ist, als er zu einem Teil herauswächst aus den verschiedenen Daseinsbedingungen, unter denen sie ihre Jugend- und Entwickelungsjahre verlebten, aber das eigentliche Schwergewicht ruht hier doch in der Art wie diese beiden Naturen auf einander wirken, in dem rein psychologischen Problem, das in der Verflechtung ihrer Charaktere in ein gemeinsames Schicksal gestellt ist.

Vom soziologischen Standpunkt aus endet das Drama mit einer schmählichen Niederlage des Mannes, der seiner ganzen mühsam errungenen Weltanschauung zum Trotz beim ersten Konflikt mit der Außenwelt die Flinte ins Korn wirft und sich überreden läßt, daß es doch keine Arbeit für ihn sei Adelsmenschen zu erziehen: „Ein unausgeträumter Traum. Eine übereilte Eingebung, an die ich selbst nicht .mehr glaube. Die Menschen lassen sich nicht von Außen her adeln." Also eine ähnliche Bankerotterklärung auch hier, und fast noch beschämender als in der „Wildente": denn der Rückzug wird angetreten, noch ehe der eigentliche Kampf begonnen hat.

Unter dem Gesichtspunkte des psychologischen Problems aber endet das Drama mit einem überwältigenden Siege des Mannes, der selbst auf die furchtbare Katastrophe, die folgt, einen verklärenden Schein fallen läßt. Er triumphiert gerade in dem Augenblick, wo er am tiefsten gedemütigt erscheint.

Uns interessiert aber dabei ungleich mehr als der Sieger die Besiegte: das Weib, an dem er, ohne es zu wissen und zu wollen, bewiesen hat, wie sehr er berufen ist, Adelsmenschen zu erziehen, und wie grundlos sein Zweifel daran gewesen, „die Menschen von außen zu adeln." Dieses Weib, das von der ersten Szene bis zur letzten in ihrem eigentlichen Wesen unfaßbar erscheint, das, wenn es 100 Hüllen abgestreift hat, immer noch

ebenso verschleiert und rätselhaft dasteht, wie je; und das, so
lange wir Gelegenheit haben, sie handelnd zu beobachten, in der
That nichts weiter thut, als Schleier auf Schleier fallen zu lassen,
die während des Stückes keine Entwickelung durchmacht, die
nur dadurch, daß sie in höchst merkwürdiger, vom Standpunkt
dramatischer Technik bewunderungswürdiger Weise, durch die
Vorgänge im Stück gezwungen wird, ihre vor dem Beginn
der Handlung liegenden, seelischen Entwickelungsphasen und
Revolutionen Schritt für Schritt zu entdecken und dadurch
den Kern ihres Wesens zu enthüllen, in uns die Vorstellung
einer vor unseren Augen sich vollziehenden seelischen
Läuterung erweckt.

Dieses Weib hat sich mit der ganzen Rücksichts= und Scham=
losigkeit eines wilden Tieres, das von Hunger und Kälte
getrieben, nach dem weichen, warmen Platz an der Herdflamme
giert, an die Rosmers herangemacht, fest entschlossen, wenn es
sein muß, über die Leiche der Frau hinweg, sich den Mann
zu erobern, der ihre Sinne reizt und dessen Besitz der Heimat=
losen Behagen und Unabhängigkeit verheißt. Sie hat, zu=
nächst nur aus taktischen Gründen, weil sie erkannte, daß
der vornehmen und leidenschaftslosen Natur Rosmers durch
die Sinne nicht beizukommen sei, ihre geistige Überlegenheit
geschickt auszunutzen verstanden. Scheinbar nur auf die
Interessen des Mannes eingehend, hat sie ihm eine Reihe
von Ideen suggeriert, deren Durchführung ihn von seinem
bisherigen Anhang loslösen und von ihr abhängig machen
soll und muß.

Aber indem sie dieser friedfertigen, träumerischen Natur
die Pflicht vom Lebenskampf suggerierte, indem sie gerade
die feinsten und edelsten Triebe seines Wesens für ihre
niedrigen eigensüchtigen Zwecke zu verwerten sich bemühte,
hat sie mit Grauen und Schrecken an sich selbst erfahren
müssen, daß die sittlichen Ideen, mit denen sie nur ein

friboles Spiel treiben wollte, nicht nur in der Seele des
Mannes eine wunderbare, nie geahnte Triebkraft entwickelten,
sondern daß sie auch in ihr selber zu einer Macht zu werden
drohten, die alle ihre wilden, ungebändigten Triebe, die ihr
die Freiheit und damit die Macht über die Menschen gegeben,
lähmte. Die geschlossene Einheit ihrer Natur ist durchbrochen
und damit die „Fähigkeit, handeln zu können", verloren. Die
Lebenslüge, die sie für Rosmer erfunden, die Erziehung von
Abelsmenschen, sie ist in ihr selbst zur Wahrheit geworden.
Dieser Läuterungsprozeß, in dem „die tobenden Mächte
in ihr in Ruhe und Schweigen versinken" und „eine Geistesruhe"
über sie kommt, „wie auf einem Vogelberg dort oben unter
der Mitternachtsonne", ist bereits eingetreten, als das Drama
beginnt. Wir lernen nicht mehr die handelnde Rebekka kennen,
sondern nur die, deren „eigener, mutiger Wille bereits ge=
schwächt und gebrochen" ist durch die neue Lebensanschauung
Rosmers, die „ihren Willen angesteckt hat," die „geknechtet
ist durch Gesetze, die früher nicht für sie galten": „Ich habe
die Fähigkeit verloren handeln zu können." In demselben
Augenblick aber, wo ihr dies in all seinen Konsequenzen wirk=
lich klar zum Bewußtsein kommt, springt in ihrem Innern
ein bis dahin verschlossenes Thor auf, das ihr eine neue Freiheit
des Willens und damit des Handelns erschließt: die Erkennt=
nis, daß sie durch die Selbstaufopferung dem Manne den
Glauben an seine Mission, den Glauben an die Menschen,
an sich selber wiedergeben kann. Diese Erkenntnis, ihr
suggeriert zunächst durch Brendel, zur Gewißheit geworden
durch Rosmers Verhalten, wird zum Entschluß der That ver=
dichtet durch Rosmers direkte Frage.
Nun aber begiebt sich das Wunderbarste. Der Mann,
der durch diese Selbstaufopferung frei werden, wieder an
sich glauben lernen, und dadurch dem Leben und seiner
Aufgabe erhalten bleiben soll, der erfaßt, man kann

sagen, genießt diese vor seinen Augen sich vollziehende
Läuterung eines kraß egoistischen Willens zum reinsten
Altruismus zwar mit höchster seelischer Entzückung, richtet
sich und sein gebrochenes Selbstbewußtsein an dieser Er=
fahrung, wie sie es beabsichtigte, wieder auf zu neuem
Leben und neuem Glauben, um dann aber dies neue Leben
und den neuen Glauben freiwillig von sich zu werfen. Und
die Frau, die konsequenterweise diese Selbstaufopferung des
Mannes als eine ihr eigenes höchstes Lebenswerk vernich=
tende That mit allen Kräften bekämpfen müßte, sie fragt
wohl: „Weißt Du denn so unverbrüchlich sicher, daß dieser
Weg für Dich der beste ist? ... Und wenn Du Dich darüber
täuschtest? Wenn es nur ein Irrtum wäre? Eines jener
weißen Pferde von Rosmersholm?" Aber auf seine Antwort:
„Mag sein. Denen entkommen wir nicht — wir hier auf dem
Hofe," nimmt sie ihn als Begleiter auf ihrem Wege an.

Die weißen Pferde von Rosmersholm, d. h. die Vorstel=
lungen, die Anschauungen, die Vorurteile, durch welche das
Geist= und Gemütsleben der Rosmers eingeschränkt und ein=
geengt ist, diese weißen Pferde, deren gespenstische Macht auch
Rebekka West hat an sich erfahren müssen, dieser symbolische
Apparat, der vom ersten bis zum letzten Aufzug an ent=
scheidenden Wendepunkten immer zur Anwendung kommt, ist
hier in der Schlußwendung in der That von verhängnisvoller
Wirkung. Sein Heranziehen und Hereinziehen in die Situation
gerade in dem Augenblick, wo Mann und Weib endlich aus
dem Wirrwarr von Schuld und Unglück das sittliche Problem
ihres Neben= und Gegeneinanderwirkens herausgearbeitet
haben, dient nur dazu, den Kern der Idee wieder zu ver=
schleiern und das Bild zu trüben. Bis zu diesem Augen=
blick konnten, ja mußten wir glauben, daß es auf eine Ver=
herrlichung des freudigen Altruismus als der lebenspendenden
Kraft in der neuen Gesellschaft abgesehen sei, daß die neue

Weltanschauung Rosmers nicht nur die alten Gespenster von Rosmersholm verscheucht, sondern auch das fremde, feindliche, egoistische Element in Rebekka West besiegt habe. Mit jenem Worte Rosmers aber: „Denen entkommen wir nicht," ist wieder alles in Frage gestellt. Wir erkennen, daß es dem Dichter nicht darauf ankam, ein Problem zu lösen, sondern nur eine Frage zu stellen; ja mehr noch: durch diese Schluß= wendung absichtlich die unzweideutige Antwort auf die von ihm selbst aufgeworfene Frage abzuschneiden.

Gehen da zwei Sieger oder zwei Besiegte? Sie be= siegeln ihren Glauben an sich selber durch die That, aber durch eine That der Selbstvernichtung, weil sie die eigent= liche Probe auf das Exempel, die nur mit der Außenwelt zu machen ist, nicht zu machen wagen. Daß Rebekka so handeln muß, ist begreiflich. Die neue Lebensanschauung, die in Rosmersholm Herr über sie geworden ist, ist ein so ge= waltsamer Eingriff in ihre eigenste Natur gewesen, daß sie im eigentlichsten Sinne des Wortes damit nicht weiter leben kann. Sie ist nicht mehr, die sie war, die starke Persönlich= keit einer niederen Gattung, sondern mit den höheren Gattungs= eigenschaften ist ihr auch ihre ursprüngliche Stärke genommen, sie kann freudig entsagen, freudig sterben, aber nicht freudig mehr kämpfen für das neue Lebenselement. Anders ist es mit Rosmer. Bei ihm hat keine Umwertung der Werte stattfinden müssen, er hat nur die tief in seiner Brust schlummernden Ideale wecken und zum Leben zu entfalten brauchen. Nicht wie das Weib durch Schuld, nur durch Un= glück ist er gegangen und ist frei geworden. Wenn er jetzt trotzdem den Kampf freiwillig aufgiebt, so ist das ein Zeichen von Schwäche und Unmännlichkeit, das durch keine noch so feine psychologische Begründung, daß diese milde, gütige, passive Natur keinem Kampfe gewachsen ist, daß also die Ge= stalt folgerichtig ist, in seiner peinlichen Wirkung ge=

mildert oder gar aufgehoben werden kann. Der höchste ideelle Sieg, den er über das Weib errungen hat, giebt seinem Arm nicht die Kraft, für diese siegreiche Idee weiter zu kämpfen für die andern und gegen die andern. Und die bittere Lebens= weisheit, die als Rest bleibt, ist: nicht den Rosmers und nicht den Brendels gehört die Zukunft, ebensowenig wie den Krolls, sondern den Mortensgards. „Peter Mortensgard ist der Häupt= ling und Herr der Zukunft ... Peter Mortensgard hat die Macht zur Allmacht in sich. Er vollbringt alles, wie er will ... Denn er will nie mehr als er kann. Peter Mor= tensgard ist kapabel, das Leben ohne Ideale zu leben. Und ... das ist ja das große Geheimnis des Handelns und Siegens. Das ist die Summe aller Weltweisheit.“ Das ist zwar nur der Schlußakkord von Ulrik Brendels zerstörtem Leben, und Rosmer ist es gerade, der ihm widerspricht, aber durch seine That giebt er seinem ehemaligen Lehrer Recht, denn er macht Platz vor Mortensgard und für Mortensgard. In schroffer Dissonanz zu dem Abschiedswort Brendels „Lebe wohl, mein siegender Johannes“ proklamiert er durch seine That eine abermalige Niederlage des reinen, idealen Willens gegen die „kompakte Majorität“ aller Erscheinungsformen des brutalen Egoismus.

Dieses bestimmende Eingreifen Brendels am Schluß in Rosmersholm erscheint aber über den Rahmen dieses Dramas hinaus bedeutungs= und verhängnisvoll. Ähnlich, wie wir das schon früher gelegentlich beobachten konnten, wächst auch hier schon zwischen den ausklingenden Motiven, Konflikten und Gestalten des einen Dramas der Keim eines neuen aus dem Boden, eröffnet sich der Ausblick auf ein neues psychologisches Problem und zwar nicht so sehr in einer bestimmten Formulierung, als vielmehr in einer bestimmten Beleuchtung. „Bau deine Burg nicht auf unsichern Sand. Hüte dich wohl,“ sagt Brendel zu Rosmer, „und erprobe

es genau, ehe du auf das anmutige Geschöpf baust, das dir
dein Leben verschönert." „Meinen Sie mich damit?" fragt
Rebekka. „Ja, meine reizende Meerfrau." „Weshalb kann
man auf mich nicht bauen?" fragt sie weiter, erhält aber
keine direkte Antwort, sondern nunmehr nur jene mehrfach
erwähnte Suggestion der Selbstaufopferung. Der Sieg ist
Johannes sicher, sagt er, unter der Bedingung, „daß das
Weib, welches ihn liebt, frohen Muts hinaus in die Küche
geht und sich ihren feinen, kleinen, rosenweißen Finger ab=
hackt, hier, gerade hier am Mittelglied. Item, daß selbiges
liebendes Weib — ebenso frohen Mutes — sich ihr superbes
linkes Ohr abschneidet." —

Diese Worte werfen Licht vorwärts wie rückwärts.
Das Dämonische, das Hexenhafte, wie Rektor Kroll es nennt,
das in Rebekka steckt, das sie inmitten der Umgebung von
Rosmersholm als ein Wesen aus einer ganz anderen Welt
erscheinen läßt, das mit dieser Welt von Rosmersholm und
den Menschen von Rosmersholm nie zu einer wirklichen,
innerlichen Gemeinschaft zusammenwachsen kann, ist durch die
Symbolik der Anrede „reizende Meerfrau" in wundervoller
Prägnanz zusammengefaßt. Das Tragische, Unabwendbare
ihres Schicksals ist damit angedeutet, und zugleich durch die
Hinweisung auf die einzige Möglichkeit einer Abwendung
trotzdem, nämlich dadurch, daß sie sich freiwillig eines Teiles
ihres Selbst entäußert, nicht so sehr für diesen speziellen
Fall, als für eine ähnliche Situation, die Lösung eines
derartigen Konfliktes in Aussicht gestellt: das Problem der
„Frau vom Meere".

———

VII. Die Frau vom Meere.

"Rosmersholm hat mich gebrochen," sagt Rebekka.
"Gänzlich zermalmt. Ein fremdes Gesetz hat mich unterjocht.
Ich glaube nicht, daß ich mich künftighin noch an eine Sache
zu wagen vermag." Dieses Schicksal in ein Bild gefaßt,
tritt uns gleich im Eingang der „Frau vom Meere" entgegen.
In dem Vordergrund des Gemäldes, das Ballested malt, „soll
eine halbtote Meerfrau liegen. Sie hat sich vom Meer herein
verirrt und kann jetzt den Ausgang nicht mehr finden und
nun liegt sie da und geht in dem toten, faulen Wasser zu
Grunde." „Es war die Frau hier im Hause, die mich auf
den Gedanken brachte, so etwas zu malen," setzt der Künstler
hinzu.

Aber so auffallend dies zu den Worten und der Situation
Rebekka Wests paßt, so wenig innere Verwandtschaft besteht
doch, genau besehen, zwischen den beiden Frauencharakteren, auf
die dasselbe Bild angewandt wird.

Das Gemeinsame ist das Problem der Akklimatisation
eines ausgeprägten Charakters an ein ihm wesensfeindliches
Milieu, der Versetzung aus einem Element in ein anderes, das
Problem der geistigen Anpassung eines Individuums an seine
neue Umgebung. Danach handelt es sich also nicht nur um die
Lösung eines psychologischen, sondern auch eines sozialethischen
Problems; denn nur durch diese Anpassung erwirbt das betreffende

— 108 —

Individuum die Fähigkeit, seine Kräfte zum Segen für seine
Umgebung zu verwerten. In der freiwilligen oder erzwungenen
Isolierung dagegen verkommen sie entweder oder wirken als Zer=
störer. Letzteres war der Fall bei Rebekka, ersteres bei Ellida
Wangel. Diese verschiedene Art der Reaktion ergiebt sich aber bei
beiden nicht so sehr aus den besonderen Verhältnissen, in die
sie hinein versetzt werden, als aus der Verschiedenartigkeit
ihrer Charaktere. Rebekka, fiebernde Thatkraft vom Wirbel
bis zur Zehe, und bei aller Fähigkeit zur Leidenschaft doch
an erster Stelle eine kühle Verstandesnatur, Ellida ganz Ge=
fühls= und Empfindungsmensch, und passiv und indolent bis
zu krankhafter Schwäche; die eine stets treibend, die andere
stets getrieben. Wenn nun auch beide in einem gewissen
naiven Egoismus, einem völligen Mangel an sozialem Pflicht=
gefühl zunächst ihrer Umgebung gegenüber in einem ähnlichen
Verhältnis zu stehen scheinen, so liegt doch auf der Hand,
daß in dem Augenblick, wo äußere oder innere Erlebnisse sie
zu thatsächlichen Äußerungen, zu Handlungen zwingen, ihre
Schicksale sich in durchaus entgegengesetzten Bahnen bewegen
müssen.

Dagegen tritt uns eine auffallende Verwandtschaft ent=
gegen, die sich nicht nur wie bei Rebekka und Ellida aus
gewissen Charaktereigenschaften und einer typischen Ähnlichkeit
ihrer Lage ergiebt, sondern die sich auch auf die besondere
Situation des besonderen Konflikts, in den sie durch diese
Situation geraten, erstreckt, zwischen Ellida und Nora Helmer;
und mit dieser, nicht gesuchten, sondern gegebenen Parallele ist
zugleich auch die Brücke rückwärts wieder geschlagen zu Dina
Dorf in den „Stützen der Gesellschaft“. Wie Nora ist Ellida
in die Ehe getreten mit einem Manne, mit dem sie innerlich
ebenso wenig gemein hatte, wie er mit ihr. Auch hier kommt
es zwischen Mann und Frau zu einer großen Abrechnung
über Vergangenheit, Gegenwart und Zukunft, gipfelnd in der

Forderung der Frau, sie frei zu geben aus den Banden einer
Ehe, die sie unüberlegt geschlossen, und in der weiter zu leben
ihr unmöglich erscheint.

Auch hier, wie in der Ehe Nora Helmers, ist auf
seiten des Mannes nicht eine tiefere Neigung, sondern der
Reiz der anmutigen Erscheinung, die seine Sinne gefangen
nahm, der Ehestifter gewesen: „Du vermochtest nicht länger
die Leere in deinem Hause zu ertragen. Du saheft dich
um nach einer neuen Frau," sagt Ellida; und auf seinen
Einwand „und nach einer neuen Mutter für die Kinder":
„Vielleicht das auch — so nebenbei. Obgleich — du
wußtet ja gar nicht, ob ich zu der Stellung taugen würde.
Du hattest mich ja nur gesehen — und ein paarmal
ein wenig mit mir gesprochen. Dann bekamst Du Luft
zu mir, und dann —" —. Und dann ist es auch hier der
Frau klar geworden: „Das Leben, das wir beide miteinander
leben, das ist im Grunde keine Ehe."

Aber während im „Puppenheim" die Anklage nur
allein sich gegen den Mann richtet und durch die Gegen=
wart, die wir mit erleben, auch für die Vergangenheit in
unseren Augen die Schuld allein auf ihm zu lasten scheint,
ist hier die Frau eine ebenso unerbittliche Anklägerin gegen
sich selbst. Sie ist nicht wie Nora in die Ehe getreten
gedankenlos, weil erfahrungslos. In ihr sträubte sich etwas
gegen diese Ehe, gegen diesen Mann, aber sie überwand
dies Widerstreben, trotzdem sie sich nicht einmal frei
fühlte, weil dieser Mann ihr eine Versorgung bot: „Du
kauftest mich, und ich war nicht um ein Haarbreit besser.
Ich schlug ein. Ich habe mich an dich verkauft." . . . .
„Ich stand ja da, hilflos und ratlos und so ganz allein.
Es war ja so selbstverständlich, daß ich einschlug, als du
kamst und mir antrugst, du wolltest mich lebenslänglich ver=
sorgen . . . Aber ich hätte es doch nicht annehmen sollen.

Um keinen Preis hätte ich das annehmen sollen. Hätte mich nicht selbst verkaufen sollen! Lieber die niedrigste Arbeit — lieber das ärmlichste Leben in — in Freiwilligkeit und nach eigener Wahl."

In diesen Worten kommt nicht nur das Element, das Elliba von Rebekka scheidet, der gänzliche Mangel an jener Willensenergie, die ja gerade für jene das Charakteristische ist, sondern auch der Gegensatz zwischen ihr und Nora scharf zum Ausdruck. Elliba hat eine Schuld in dem Augenblick auf sich geladen, in dem sie aus eigensüchtigen Motiven die Ehe schloß. Sie war weder wie Nora ein unbeschriebenes Blatt, als sie sich dazu verstand, Dr. Wangels zweite Frau zu werden, noch konnte sie im Unklaren darüber sein, daß ihrer dort nicht nur die Pflichten der Gattin, sondern auch der Mutter harrten gegenüber den Kindern aus erster Ehe. Über alles dieses hat sie sich mit einem grenzenlos naiven Egoismus hinweggesetzt. Es kam ihr nur darauf an, die warme Stelle am Herde zu haben. Alles übrige, Mann, Kinder, das Haus ist ihr gleichgültig; sie fordert keine Liebe, giebt aber auch keine. Ja, während sie zunächst, wenn auch mit heftigem inneren Widerstreben dem Zwang der körperlichen Hörigkeit, die die Ehe ihr auferlegt hat, sich gefügt hat und, wenn auch nur rein äußerlich, die Frau ihres Mannes gewesen ist, so hat sie nach der Geburt des ersten Kindes auch diese Fessel von sich gestreift und sich seitdem dem Mann versagt. Trotzdem sie sieht, wie schwer er leidet, trotzdem ihr eine dunkle Ahnung sagt, daß er mit all seinen offen zu Tage liegenden Schwächen eines besseren Loses würdig ist, als sie ihm bereitet, trotzdem sie sehen müßte, daß der weiche, schwache, aber in der reinen Güte seines Herzens doch liebenswerte Mann an diesem unnatürlichen Verhältnis zu Grunde geht; trotzdem sie sehen müßte, wie ihre Töchter, die eine sich nach energischer, geistiger Thätigkeit, die andere nur nach Liebe sehnend, sich selbst überlassen,

Gefahr laufen in unverstandenen und ungezügelten Regungen sich selbst zu verlieren. So empfindet sie es fast als eine Wohlthat, daß jene nicht nur keine Ansprüche an sie machen, sondern, mit dem Vater zusammen, mit ihrer Vorgängerin, ihrer rechten Mutter, fortleben, als wäre sie noch mitten unter ihnen, und sie selbst die lebende Nachfolgerin, gewähren lassen, wie eine Fremde, die auf Besuch ist. Sie empfindet es nicht als eine tödliche Kränkung, daß Mann und Kinder heimlich den Geburtstag der ersten Frau feiern. „Das lasse ich sein, wie es ist," sagte sie zu Arnholm. „Ich habe kein Recht, meinen Mann ganz und ausschließlich für mich allein zu verlangen. Ich selbst lebe ja auch in Etwas, von dem die andern ausgeschlossen sind."

Damit kommen wir an das eigentliche, neue Problem, das dieses Ehedrama Ibsens von allen vorangegangenen scheidet, so manche Fäden auch zwischen den Konflikten und Charakteren von hüben und drüben noch hin= und herlaufen. Auch Rebekka West lebt ja in Etwas, von dem die andern ausgeschlossen sind; es ist das nicht nur jene weiter zurück= liegende „Vergangenheit", über die sie Rosmer in der letzten Szene eine, ihm kaum und auch uns nur zum Teil ver= ständliche, Andeutung macht, sondern mindestens ebenso sehr jene geheime, frevelhafte Thätigkeit in Rosmersholm, die Frau Rosmer in den Tod trieb. Nun stoßen wir auch gleich im Eingang der „Frau vom Meere" auf ähnliche Andeutungen, daß in der Vergangenheit Ellidas ein dunkler Punkt ist, ein Ge= heimnis, das sie sorgfältig vor allen verbirgt, und das ihr schließlich doch so zur Qual wird, daß sie die erste Gelegen= heit, es sich vom Herzen herunterzureden, benutzt, weil — sie „jemand haben muß, um sich ihm anzuvertrauen". Dieses Bekenntnis, das allerdings nur einen Teil ihres Wesens und ihres Geheimnisses erschließt, erfolgt schon im ersten Akt in der ersten Unterredung mit Arnholm.

Wenn aber Frau Ellida auch infolgedessen in ihrer wahren Natur sich viel früher, wenn auch zunächst nicht ihrem Manne, so doch uns enthüllt, und wenn im Gegensatz zu der in Rosmersholm befolgten Technik der Dichter hier gar kein Gewicht darauf legt, in dieser Hauptsache den Zuschauer und Leser lange im Unklaren zu lassen oder gar irrezuführen, wenn vielmehr die Handlung sich gradlinig vorwärts bewegt und das psychologische Moment der Spannung nicht auf die Frage hinaus läuft, was ist vor Zeiten geschehen, sondern was wird jetzt geschehen, so ist doch hier in Wahrheit die Sache ungleich verworrener als in „Rosmersholm" oder in einem der früheren Stücke. Da hatten wir es entweder mit subjektiven Empfindungen und Vorstellungen zu thun, Vorurteilen, die den Willen banden und die Thatkraft lähmten, die dann wohl gelegentlich ins Symbolische hinüberspielten und als Gespenster, als Wildente, als die weißen Pferde von Rosmersholm ein spukhaftes Bild seelischer Vorgänge abgaben; oder mit Thatsachen, die nicht nur aus der subjektiven Empfindnng des einzelnen Idividuums heraus Macht über den Willen und das Handeln gewannen — wie die Erfahrung Noras mit ihrem Mann. Hier aber ist die subjektive Vorstellung und die thatsächliche Begebenheit in einen unentwirrbaren Knoten verschlungen, und ein psychologischer Konflikt aufgebaut auf einer Grundlage, die halb dem wirklichen Leben, halb dem Reich der Träume angehört, und die dadurch noch nebelhafter und wesenloser wird, daß auch, wo es sich um objektive Thatsachen handelt, das Symbolische, die bildliche Deutung plötzlich wie ein Nebelschleier sich über die festen Konturen legt und den thatsächlichen Kern, den wir schon zu fassen glaubten, uns entrückt, daß schließlich nur das Symbolische, das Bildliche bleibt.

Als dritter erschwerender Faktor kommt hinzu, daß

das Symbolische der Handlung und der Vorstellungen nicht
nur von den verschiedenen Charakteren des Dramas ver=
schieden gefaßt und gebeutet wird, sondern daß auch bie=
selbe Person zu verschiedenen Zeiten und aus verschiedenen
Stimmungen heraus das Symbolische anders erfaßt und
anders beutet.

Die Vorstellung des Meeres als das Symbol des
Fessellosen und Zügellosen, des Wilden, des Großen und
des in seiner Wildheit und Unerbittlichkeit dämonisch an=
ziehenden und zugleich abstoßenden, furchtbaren Grauens
ist der Urkeim. Das Meer erscheint zunächst wie eine
lebende Persönlichkeit. „Das Wasser ist krank hier in den
Fjorden brinnen," sagt Frau Ellida einmal. Aus dieser
Vorstellung des dämonisch Grauenhaften, das abstößt und
zugleich lockt und anzieht, wächst eine wirklich vor unsere
Sinne gestellte Persönlichkeit, die nun wieder wie ein Bild
des Meeres erscheint: der Fremde. „Der Mann ist wie das
Meer," sagt Ellida im Schluß des dritten Aktes. Ja
auf diese Anthropomorphisierung der dämonischen Urkraft des
Elements in der Gestalt des Fremden ist die ganze suggestive
Kraft des Dichters eigentlich angespannt, angespannt in einer
Weise, daß durch das Bestreben, das Symbolische in ihm
zum Ausdruck zu bringen, die Wirklichkeit seiner Existenz bis=
weilen geradezu in Frage gestellt erscheint. Diese Symbolik
aber wird nun wieder in eigentümlicher Weise burch eine
andere Symbolik überspült, verwischt, ausgelöscht, insofern biese
Vermenschlichung des Meeres, die der Fremde barstellt, bieses
Symbol des dämonisch Grauenhaften des Elements selbst
wieder eine symbolische Handlung begeht, die auf das Meer,
als etwas außer ihm Liegendes Bezug nimmt: die symbolische
Trauung baburch, baß er seinen und Ellidas Ring zusammen
ins Meer wirft: „jetzt sollten wir beide zusammen uns mit dem
Meere trauen," berichtet Ellida. Und um die Symbolik nun

vollends zu verwirren, vermischt sich mit diesen drei Vorstel=
lnngen noch eine vierte: Das Meer als Lebenselement für eine
andere Art Wesen, und auch dies wieder in zweifacher Form:
einmal die märchenhafte Vorstellung von Meermenschen ver=
wertend, ein Motiv, das ja gleich im Eingang zur sym=
bolisierenden Charakteristik Ellidas angewandt wird und das
ebenso, namentlich in der Erzählung Lyngstrands von seinem
Erlebnis mit dem rätselhaften Seemann, auch bei dem Fremden
eine Rolle spielt; und dann moderne, naturwissenschaftliche
Beobachtungen über die Anpassung streifend: „Es ist beinahe,"
sagt Wangel von den Menschen am Meer, „als lebten sie
das eigene Leben des Meeres mit. Es ist Wellenschlag —
und auch Ebbe und Flut in ihren Gedanken, wie in ihrer
Empfindung. Und dann lassen sie sich niemals verpflanzen." —
    In der letzten Szene sagt Wangel zu Ellida: „Ich fange
an, dich zu begreifen nach und nach. Du denkst und empfin=
dest in Bildern und in sichtbaren Vorstellungen. Dein Sehnen
und Trachten nach dem Meere, dein Zug nach ihm hin,
diesem fremden Mann, das war der Ausdruck für ein er=
wachendes und wachsendes Verlangen nach Freiheit in dir."
    Ein erläuternder Kommentar, aus dem wir die Stimme
des Dichters heraushören, der aber, wie er auf der einen Seite
keineswegs alle Verschlingungen der Symbolik der voran=
gegangenen Handlung auflöst und entwirrt, auf der andern
in dieser philiströsen Nüchternheit einer rationalistischen Er=
klärung den dichterischen Reiz einer solchen Symbolik völlig
zerstört, als griffe eine derbe Hand in ein feines, in der
Morgensonne von unzähligen Tautropfen funkelndes Spinn=
gewebe: nun hängen bloß noch die grauen Fetzen herunter.
— Außerdem aber wecken diese Worte Wangels auch inso=
fern einen gewissen Widerspruch, als keineswegs, wie es hier=
nach scheinen sollte, diese Symbolik des Lebens nur Ellida allein
eigentümlich ist. Vielmehr wirkt sie, ähnlich wie wir das

schon in der Wildente beobachten konnten, man möchte sagen, an=
steckend auch auf die übrigen Personen und Verhältnisse.

Auch die übrigen Menschen des Dramas denken und
empfinden und reden nicht nur in Bildern und sichtbaren Vor=
stellungen, sondern werden in ihren Daseinsbedingungen, Hand=
lungen und Zielen wieder zu Symbolen. Da ist im dritten Akte
die feuchte, sumpfige Szenerie, mit dem grün überwachsenen
Teich. Es ist nicht Ellida, sondern die realistische Bolette,
die da sofort das Bild sucht und findet für sich und ihre
Existenz: „Wir leben nicht viel anders als die Karauschen
da unten im Teich. Den Fjord haben sie ganz in der Nähe
und da ziehen die großen wilden Fischscharen aus und ein.
Aber davon erfahren die armen, zahmen Hausfische nichts. Da
dürfen sie nie dabei sein." Es ist vor allem der gewiß nicht
phantastische Ballested, der zuerst die Symbolik der in faules
Wasser verschlagenen Meerfrau auf Ellida, anwendet. Und
wenn auch Lyngstrand durch seine Idee von der Gruppe der
treulosen Seemannsfrau, die ihr toter Mann besucht, zunächst
nur ein für sich selbst sprechendes und durch sich selbst
wirkendes Kunstwerk im Sinne hat, so bringt er in die Ge=
dankengänge der anderen dadurch doch eine neue symbolische
Aussaat hinein. Ganz aber in dieser Symbolik lebt und
webt der Fremde. Wenn demgegenüber zunächst Wangel
und Arnholm, Bolette und Hilde und Lyngstrand fast be=
leidigend rund und vollsaftig in ihren derben körperlichen
und geistigen Konturen erscheinen, so bekommen auch sie, nicht
durch das, was sie sagen, sondern was sie thun, oder durch
das, was andere über sie sagen, auf einmal einen gespannten
Zug, etwas Starres, Lebloses, Automatenhaftes. Wir spüren:
auch ihre Handlungen sind nur Versinnbildlichungen einer
Idee. Unter den scheinbar gleichgültigsten Bemerkungen und
Geberden lauert ein geheimer Sinn. Man wagt nicht mehr
sich harmlos am Bilde der Thatsache zu freuen, denn es ist

8*

ja ganz anders gemeint als es geschaut wird, ober jeden=
falls hinter dem Bilde steckt noch ein zweites.

Das Beunruhigende und Verwirrende und Beklemmende
liegt natürlich nun aber nicht darin, daß überhaupt die Sym=
bolik zur Geltung kommt, denn jedes große Kunstwerk arbeitet
ja in gewissem Sinne mit Symbolik, sondern in der Über=
wucherung und Durchsetzung des ganzen Dramas mit sym=
bolischem Schlinggewächs. Man wird mißtrauisch gegen das,
was geschieht und was gesagt wird. Man muß jedes Wort
und jede Thatsache gewissermaßen aufheben wie einen Stein,
um nachzusehen, was darunter verborgen liegt.

Zu der Symbolik und Mystik aber gesellt sich hier noch
ein drittes Element, dessen Keime wir schon in den früheren
Dramen Ibsens finden, das aber hier doch zum erstenmal so
in den Vordergrund tritt, daß wir es spüren, als etwas, das
seiner Dichtung eine bestimmte, unvertilgbare Farbe, vielleicht
richtiger Färbung giebt: die Neigung zur Prägung von formel=
haften Worten und Sätzen, die dazu dienen, den Wesens=
inhalt einer Person oder einer Situation zusammenzufassen, und
die bald wie eine Art Leitmotiv erscheinen, das jedesmal an=
klingt, sobald die betreffende Person in Aktion tritt, bald wie eine
Art Geheimschrift, zu der der Schlüssel erst durch die vor uns sich
abspielende Handlung gesucht und gefunden werden muß. In
diese Kategorie gehörte das Wunderbare im „Puppenheim“, die
Formel von der Lebensfreudigkeit in den „Gespenstern“, von der
kompakten Majorität im „Volksfeind“, von der idealen For=
derung und der Lebenslust in der „Wildente“, von den Adels=
menschen in „Rosmersholm“. Es kann aber Niemand, der die ver=
schiedenen Arten ihrer Verwendung in der Reihenfolge der Ibsen=
schen Dramen sich vergegenwärtigt, entgehen, daß diese Neigung
zum Formelhaften nicht nur zunimmt, sondern auch, daß in
der Verwendung selbst ein dogmatisch doktrinärer, lehrhafter
Zug mehr und mehr um sich greift. Bei Dina Dorf, die

nur einem Mann angehören will, wenn sie selbst etwas ist, springt dieses Lebensprinzip von den Lippen wie eine Eingebung des stürmisch erregten Augenblicks. Bei Nora erscheint die Prägung des Wortes „das Wunderbare" für den Inhalt ihres geheimen unklaren Sehnens gewissermaßen als ein natürlicher Notbehelf ihrer unklaren und phantastischen Natur, ein Wort, das ihr gekommen ist, nicht das sie ersonnen hat. Auch in den „Gespenstern" ist es noch ähnlich. Aber allmählich wird es anders, die Formeln erscheinen mehr und mehr als Ergebnis tiftelnder Reflexionen, bewußt ausgeklügelt, die Personen präsentieren sie einander fertig zum gegenseitigen Darübernachdenken oder Darüberreden; und so erstarren sie mehr und mehr zu mathematischen oder chemischen Gleichungen, deren Beweis durch das Drama geliefert werden soll.

Die Lebens= und Eheformel, die im „Puppenheim" und in den „Gespenstern" enthalten war, und deren innere Notwendigkeit und Berechtigung uns aus Noras und Helene Alvings Schicksal wie eine persönliche Erfahrung herauswuchs, — daß nicht die äußere gesetzliche Sanktionierung dem Lebensbund zweier Menschen die Gewähr der Dauer und was mehr ist, eine sittliche Grundlage giebt, sondern allein die Gesinnung und die innere Freiheit, aus der heraus dieser Bund zu einer dauernden Lebensgemeinschaft wurde, die Gewähr bietet für die rechte Ehe — wird hier mit einer gewissen kühlen Hartnäckigkeit noch einmal vorgenommen und vor unseren Augen nachgerechnet. So mystisch=phantastisch Frau Ellida ist, so sehr sie die Neigung hat, wenn reale Pflichten an sie herantreten, oder über Thatsächliches Auskunft und Rechenschaft von ihr verlangt wird, mit einem „ach ich weiß nicht, was ich sagen soll" zu entschlüpfen, so spitzfindig=hartnäckig hält sie an ihrer Lebensformel mit dem Schlagworte „in Freiwilligkeit", „unter eigener Verantwortung" fest und zieht

auch ihren Mann völlig in den Bann dieser formelhaften
Weisheit hinein, an deren Wiederholung sich beide förm=
lich berauschen.

Ob diese Mischung von Mystik und spitzfindiger Dog=
matik, aus der Frau Elliba und ihr Mann sich die Heilung
für ihre kranke Ehe trinken oder zu trinken glauben, auf
die Dauer ihre Heilkraft bewahren wird? ich möchte es be=
zweifeln. Ich kann mir eher eine Rückkehr Nora Helmers,
eher eine Ehe Rebekka Wests mit Rosmer, als Elliba
Wangel, die Tochter des Leuchtturmwärters und seiner
wahnsinnigen Frau als beglückte und beglückende Gattin
neben diesem Doktor Wangel und als fürsorgende Mutter
seiner Töchter vorstellen; ebensowenig, daß der Bund zwischen
Bolette und Arnholm, „der nicht schwimmen und nicht springen
kann", gut ausschlagen wird, und am allerwenigsten, daß
Elliba und Hilde, für die die Lebensformel einstweilen „das
Spannende" ist, ein wirkliches Verhältnis zu einander ge=
winnen.

Das ist schließlich das schwerste Bedenken, das ich gegen
das Drama habe: es ist im Gegensatz zu der sonst vor keiner
Schroffheit zurückschreckenden Ehrlichkeit Ibsens innerlich un=
wahr, weil es nur konstruiert ist.

VIII. Hedda Gabler.

Wie die „Frau vom Meere" nur konstruiert ist, weil die einzelnen Gestalten nur in die Welt gesetzt und auf die Bühne gestellt sind, um wie die Ziffern in einer Gleichung, in einem bestimmten Ansatz und Verhältnis zu einander eine These zu beweisen, so ist wohl auf die geschickte Gruppierung und Verbindung der einzelnen Gestalten und ihrer Funktionen zum Ganzen die größte Kunst verwendet, aber trotz der triumphierenden Aufbringlichkeit, mit der am Schluß das quod erat demonstrandum von Ballested, Elliba und Wangel als erreicht, dreifach unterstrichen, an die Tafel geschrieben wird, fehlt die innere Überzeugungskraft. Wir kommen nicht darüber hinweg, daß uns da etwas vorgemacht wird. Und deshalb erscheint mir die herbe, schneidende Dissonanz, mit der die unselige Hedda Gabler einem verfehlten Leben und einer unwahren Ehe ein Ende macht, in ihrer brutalen Ehrlichkeit fast als eine Wohlthat gegen den harmonischen, falschen Ausklang der „Frau vom Meer".

Gewiß ist „Hedda Gabler" eines der unerquicklichsten, pein= lichst wirkenden Stücke, das die moderne Litteratur überhaupt aufzuweisen hat. Der Charakter der Haupthelbin vereinigt eine wahre Auslese unsympathischer Eigenschaften. Aber die psycho= logische wie die ethische Analyse ist mit einer Überzeugungs= kraft, Anschaulichkeit, Ehrlichkeit, Folgerichtigkeit und Kunst

durchgeführt, daß troß dem Gefühl von Grauen, ja faft
von Efel, das diese Tragödie hinterläßt, ein unbedingter
Respekt vor der künftlerischen Gesamtleistung alle anderen
Empfindungen überwiegt. Ich will gern gestehen, daß dazu
nicht zum wenigsten der faft völlige Verzicht auf Symbolik
und Geheimsprache, zu dem Ibsen sich hier noch einmal
entschlossen hat, beiträgt. Bis in die tiefsten Mysterien weib=
lichen Gefühls= und Empfindungslebens leuchtet ein scharfes,
grell blendendes Licht, keine Verschleierung, keine Beschönigung,
keine Trübung des Thatbestandes, der physiologischen Ent=
wickelung des Problems und des Konflikts durch dogmatisch=
dialektische Haarspaltereien oder symbolische Nebelschleier:
scharf und deutlich sind die Konturen der Gestalten, aber
nicht bloß wie Schattenbilder, sondern in körperlicher Rundung
von allen Seiten; und dabei in all ihrer Verschlossenheit und
Verlogenheit so durchsichtig für uns, daß wir von innen
heraus das Werden und Wachsen eines verbrecherischen
Gedankens bis zur Reife der That verfolgen und mit durch=
leben.
„Die Frauen sind die wahren Stützen der Gesellschaft,“
sagt Konsul Bernick; und in dem Augenblick und von seinem
Standpunkt aus hatte er Recht. Denn ohne die selbstlose
Hilfe der Frauen wäre sein ganzes Haus zusammengebrochen.
Und wenn auch der Dichter selbst sich mit dieser Stellung
zur Frau nicht identifizierte, sondern seine persönliche Mei=
nung wohl vielmehr in Lona Hessels Saß: „Eure Gesellschaft
ist eine Gesellschaft von Hagestolzen. Ihr seht die Frau
nicht“ niederlegte, so bewies doch die Wahl seiner Stoffe
und die Stellung seiner Probleme in der Folge, daß er
von den Frauen bei der Lösung der modernen Kultur=
aufgaben etwas ganz Besonderes erwartete: Alle Schlach=
ten auf ethischem und sozialem Gebiet können in Zukunft
nur mit Hilfe der Frauen ausgefochten werden. Der

Mann, der das nicht einsieht, ist von vornherein verloren. Aber wenn wir nun die Charaktere und die Konflikte, die diese Überzeugung veranschaulichen, näher betrachten, so ist gar nicht zu verkennen, daß die Männer dabei ziemlich schlecht wegkommen. An Reinheit der Gesinnung, Selbstlosigkeit, Charakterstärke, Willensenergie, Thatkraft werden sie fast aus= nahmslos von den Frauen übertroffen. Fast alle Dramen enden mit moralischen Siegen der Frauen und mit ebenso vielen Niederlagen des Mannes. Die intelligente Frau hat auch jetzt schon, einer verfehlten Erziehung zum Trotz, eine feinere Witterung für das, was die Zukunft verlangt, und eine größere Kraft das durchzusetzen, was sie für richtig er= kannt hat, als der Mann. Selbst die überheizten und über= reizten wie Nora, imponieren durch die rücksichtslose Entschlossen= heit, mit der sie, ihrer Überzeugung folgend, für ein vielleicht verfehltes Ideal durchs Feuer gehen, während fast ausnahms= los die Männer den durch sie selbst oder durch andere geschaffenen Situationen sich nicht gewachsen zeigen, die einen intellektuell, die anderen moralisch, und wenn sie schließlich zum Handeln kommen, dazu fast immer eines Anstoßes von außen durch eine weibliche Hand bedürfen.

Allerdings traten gerade in Nora neben fast heroischen Zügen auch andere Seiten der weiblichen Natur in die Erschei= nung, die nicht nur den edlen Thorvald Helmer stutzig machen konnten; vor allen Dingen, als ein spezifisches Mittel zur Er= reichung bestimmter Zwecke, eine skrupellose Nichtachtung der= jenigen sittlichen Grundlagen und Anschauungen, deren Respek= tierung jede Gemeinschaft von ihren Mitgliedern verlangen muß. Aber wenn der Dichter also schon hierdurch andeutete, daß sich der sozialen Erziehung der Frauen für die Aufgaben kamerabschaftlichen Zusammenarbeitens nicht geringe Schwierig= keiten in den Weg stellten, so hatte er anderseits gerade für diese gefährlichen Ausartungen wieder die herrschende

Gesellschaft und ihr Erziehungssystem verantwortlich gemacht, ohne jedoch in dieser Hinsicht beim Publikum die entsprechende Resonanz zu finden, weil doch Nora, sowohl durch die Besonderheit ihrer Naturanlage, wie auch ihrer häuslichen Verhältnisse, zu wenig als Typus gelten konnte, und weil auf der anderen Seite der männliche Teil in dieser Ehe mit einem Übermaß von Unerfreulichkeit und Minderwertigkeit begabt worden war, der das Urteil über den Fall Nora Helmer trübte und verwirrte. Er hatte dann dasselbe Thema in den „Gespenstern" noch einmal aufgenommen, aber mehr um eine bestimmte Spezialfrage — das Recht der Frau, den Mann, mit dem sie innerlich nichts mehr verbindet, zu verlassen, — zur Entscheidung zu bringen, als um auf das Grundproblem zurückzukommen.

Daß er aber dies auch in der Folge nicht aus den Augen verlor, daß die Frauenfrage in diesem Sinne dauernd in seinem Gesichtskreis blieb, kann keinem entgehen, der Ibsen vom „Volksfeind" über die „Wildente" und „Rosmersholm" zur „Frau vom Meere" begleitet; ja wir sehen, wie sie offenbar ihn von Schritt zu Schritt immer stärker zu beschäftigen und zu beunruhigen beginnt. Rebekka West war eine Studie des Dämonischen in der weiblichen Natur, ein Zerrbild seines eigenen Frauenideals von der Kameradin des Mannes, für dessen Abweichung von der Natur aber nicht die Gesellschaft, sondern, im Gegenteil, eine in noch viel höherem Grade als bei Nora obwaltende isolierte Stellung außerhalb der Anschauungen der bürgerlichen Gesellschaft verantwortlich gemacht wurde. Ein Gegenbild zu dieser durch einseitige Pflege des vorherrschenden Verstandes erzielten Verkrüppelung der weiblichen Natur stellte Ellida dar, auch ein Ausnahmewesen, außerhalb der Gesellschaft stehend, ausgeartet durch einseitige Kultur psychischer Erregungen und Überspanntheiten. Beide aber nicht nur untereinander, sondern auch mit Nora darin übereinstimmend, daß ihnen ein persönliches Verantwortlichkeitsgefühl für soziale Pflichten im höheren Sinne völlig fremd ist.

Während aber dies soziale Element in dem Kampf der beiden Einsamen, Rebekka und Rosmer, noch mehr zurücktritt, kommt es in der „Frau vom Meere", wenn auch nicht in den Auseinandersetzungen zwischen Mann und Frau, wohl aber in den Gesprächen und in den Beziehungen der übrigen Personen, vor allen Dingen Bolettes und Arnholms, in einer Weise zur Erörterung, die auf eine erneute, intensivere innere Beschäftigung mit gerade dieser Seite der Frage schließen läßt.

Bolette und Hilde Wangel mit ihrer Sehnsucht nach der großen Welt da draußen, der Sehnsucht, frei die Flügel zu regen und mit der gefährlichen Bereitwilligkeit, sich diese Freiheit zu erkaufen um den Preis der Hingabe ihrer selbst, bereiten die Tragödie der modernen Frau vor, die sich in „Hedda Gabler" in einer Handlung von 36 Stunden vor uns abspielt. Hedda Gabler, nicht Hedda Tesman, trotzdem wir sie als Hedda Gabler gar nicht kennen lernen.

Hedda Gabler hat viel Verwandtes mit Rebekka West. La bête humaine ist in beiden. Aber während sie in Rebekka groß geworden ist ohne Zaum und Zügel, ist sie in Hedda Gabler gezähmt worden durch die Gesellschaft und durch die Erziehung. Rebekka West ist mit ihrem wilden Raubtierinstinkten eine tödliche Gefahr für ihre Umgebung, weil ihr Wille nicht angekränkelt ist durch die leisesten anerzogenen Gewissensbedenken; sie mordet, wenn es sein muß, kalten Blutes, um ihr Ziel zu erreichen. Dagegen erscheint Hedda Gabler harmlos, ihre Raubtierinstinkte sind gebändigt, sie scheut das Blut, sie scheut die Sünde. Aber wenn man beide gegeneinander abwägt, kommt man zu dem Ergebnis, daß die wilde Bestie ungleich harmloser ist als die gezähmte.

Hedda Gabler ist gesellschaftlich durchaus korrekt. Sie würde nie etwas thun, was gegen den Anstand, was gegen

die gute Sitte verstößt, es sei denn, daß sie die absolute
Sicherheit hätte, daß niemand davon erfährt, daß kein
Standal daraus entsteht. Sie hat darin eine gewisse Ähn=
lichkeit mit Thorvald Helmer, nur daß sie viel klüger und
berechnender ist als der großspurige Gatte Noras mit den
geschwollenen Redensarten.

Die Grundlage ihrer Tugend, ihrer Wohlanständigkeit
ist die Feigheit; sie spielt mit ihren eigenen Gelüsten und
Trieben wie die Katze mit der Maus. Die Lust zur Sünde
ist immer lebendig und wach, aber sie läßt sie nie die
Schwelle zur That überschreiten; nicht weil ihr sittliches
Gefühl, ihr Gewissen davor zurückschreckt, sondern weil
eine Thatsache eine Macht ist, die Gewalt über sie be=
kommen kann. So ist die junge Hedda Gabler mit kühl=
ster Berechnung in ihrem Verkehr mit Eilert Lövborg bis
an die äußerste Grenze des in Wort und Blick Möglichen
gegangen und hat dann die Leidenschaft des bis zum Wahn=
sinn Erhitzten brüsk mit der Pistole in der Hand zurück=
gewiesen, weil sie sich fürchtete vorm Skandal.

Diese Feigheit ist das Wesentliche, was sie von Rebekka
West scheidet, sie ist die Frucht ihrer gesellschaftlichen Er=
ziehung, der Anschauungen, in denen sie groß geworden ist.
Niemand hat es verstanden oder der Mühe wert gehalten,
sich um ihr Innenleben zu kümmern, ihr Gemütsleben zu
entwickeln, ihren, an und für sich kindischen, Egoismus als
Triebkraft für eine geistige Durcharbeitung ihrer Persön=
lichkeit zu benutzen, ihren Freiheitsdrang, ihre tiefe aber
unklare Sehnsucht nach einem Leben in Schönheit in die
richtigen Bahnen zu lenken und zu vertiefen, und dadurch
ihrem Leben einen Inhalt und ihrem Dasein einen Wert
für andere zu geben. Alle großen, edlen Züge sind im
Keim verkrüppelt, alles Niedrige und Gemeine dagegen ge=
nährt und großgezogen; nicht einmal ihre Verstandeseigen=

schaften, ihr Urteil, ihr Wissen sind irgendwie gepflegt und entwickelt. Trotz ihres angeborenen Schönheitssinns hat sie offenbar gar kein tieferes Interesse weder für Kunst noch für irgend etwas sonst. Auch hier hat sie nur gelernt, mit den Dingen zu spielen, und wenn sie sich mit dem Rat Brack zusammen über den beschränkten „Fachmenschen", den guten Jörgen Tesman, lustig macht, so verrät kein Wort von ihr, daß sie ein feineres oder tieferes Verständnis in künstlerischen Dingen besitzt, als dieser brave Kompilator. Auch für Eilert Lövborgs Genialität hat sie nur ein rein äußeres Interesse: das Geistige, was den Inhalt seines Lebens ausmacht, ist ihr ganz fremd geblieben. Er ist dem anderen überlegen: Das genügt ihr, um ihm den Vorzug vor Tesman zu geben, aber, worauf sich diese Überlegenheit gründet, ist ihr gleichgültig. Geistig steht ihr der kluge, aber durch und durch hohle, ideen= und ideallose Rat Brack viel näher als Eilert Lövborg mit seiner Begeisterungsfähigkeit, die ihr verschlossen ist. Er ist nur ein Objekt für ihre, zwischen Sinnlichkeit und Romantik hin= und herschwankende Phantasie. Und wie für das junge Mädchen nicht die geistige Bedeutung des Mannes, sondern der Ruf seiner wilden Ausschweifungen es war, was sie zu ihm hinzog, so ist es jetzt auch nicht der dämonische Reiz der Größe, der sie unaufhaltsam von der Seite des ungeliebten, geistig nicht ebenbürtigen Mannes hinaus= und hinüberlockt, sondern zunächst der Kitzel, einer unsympathischen Rivalin den Mann abzujagen und zu zeigen, daß wenn diese kleine, unbedeutende Frau einen Mann wie Eilert Lövborg zu be= herrschen und zu inspirieren verstand, es für Hedda Gabler nur auf den Willen ankäme, diesen Mann und diese geistige Kraft in ihren Dienst zu zwingen: „Ich will ein einziges Mal in meinem Leben Macht über ein Menschenschicksal haben."

Allein auch wenn sie die Macht hätte, sie würde sie nicht zu nützen wissen. Ihr würde kläglich mißlingen, was der von

ihr so gering geschätzten Thea Elvsted glückte — durch ihre
Persönlichkeit, durch ihr Dasein zu inspirieren — weil ihre
Persönlichkeit keinen Inhalt hat, und weil sie einer selbstlosen
Hingabe an irgend etwas, sei es eine Person, sei es eine
ideale Aufgabe, unfähig ist. Sie selbst, in ihrem krassen
Egoismus und in ihrer Oberflächlichkeit, ist sich dessen gar
nicht einmal so bewußt, daß ihre Lebensphilosophie, von deren
Höhe sie so verächtlich auf die Fachmenschen herabsieht, auf
ein paar gefundenen, nicht einmal durch eigene Denkarbeit er-
worbenen Phrasen und Bildern beruht, an deren Klang, an
deren Vorstellung sie sich berauscht, wie an einem Narkotikum.
Die viel berufenen Formeln „Mit Weinlaub im Haar" und
„in Schönheit sterben" sind wirklich in ihrem Munde nichts
mehr als leere Redensarten, mit denen sie unklare Vorstellungen eines gewissen ästhetischen Raffinements verbindet,
das sich ihr mit einer noch unklareren Vorstellung von höherem
Menschentum verschmilzt. Mit einer kalten Berechnung ohne
gleichen jagt sie Eilert Lövborg in den Tod, einmal aus
Neid auf Thea, vor allem aber, um sich eine moralisch-
ästhetische Sensation als Nervenkitzel zu bereiten.

Es hat Leute gegeben, die in ihren Äußerungen nach Lövborgs Tod, ehe sie die wahren, näheren Umstände erfahren, einen
Zug von Größe entdecken wollen, wenn sie sagt, daß sein Tod
etwas Befreiendes habe: „Es ist eine Befreiung zu wissen, daß
doch wirklich etwas freiwillig Mutiges in der Welt geschehen
kann. Etwas, worauf ein Schimmer von unwillkürlicher Schönheit fällt," wenn sie Eilert preist, daß er „den Mut gehabt habe,
das Leben nach seinem eigenen Sinne zu leben", und wenn
sie als „das Große, worauf Schönheit liegt" bezeichnet, „daß
er Kraft und Willen hatte, von der Lebensgemeinschaft sich
loszulösen — so zeitig."

Es wird dabei aber übersehen, daß thatsächlich aus
diesen Worten nur der brutalste Egoismus und eine ästhetisch-

moralische Verschrobenheit spricht. Eilerts Tod ist nur ein ihre lüsternen Nerven kitzelndes Schauspiel und zu diesem Zweck von ihr in Szene gesetzt. Ungemein bezeichnend kommt das zum Ausdruck, wenn sie auf Bracks Bemerkung: „Ja, für ihn ist es ja wirklich eine Befreiung" naiv=brutal erwidert: „Ich meine für mich." Eilerts Tod bleibt auch für sie Sensation. Keine tiefere Empfindung wird in ihr dadurch geweckt, keine Energie aus dieser Erschütterung geboren. Denn das, was nun folgt, daß sie selbst die Pistole gegen sich richtet und „die Kraft und den Willen zeigt, sich von der Lebensgemeinschaft zeitig loszulösen", ist nicht einmal die reine Wirkung einer überspannten Stimmung, eines ästhetischen Rau= sches, sondern ein Mischprodukt aus den verschiedensten Empfin= dungen, dem peinlichen Gefühl der Blamage und Enttäuschung über die Wirkung ihrer Inspiration auf Lövborg, der Angst vor dem Skandal und der Angst, zum erstenmal in ihrem Leben von einem fremden Willen abhängig zu werden, der Angst vor dem Zwang zu einer Sünde, vor der sie aus moralischen Bedenken nicht zurückgeschreckt wäre.

Sie ist eben eine Fälscherin der Gefühle, ihrer eigenen und der der Andern, bis zum Schluß. Sowie sie betrügerisch die Lebensformel, daß nur diejenige That sittlichen Wert hat, die in Freiheit und aus der eigenen Verantwortlichkeit heraus ge= schieht, verdreht, und indem sie dadurch Eilert und Thea aus= einanderbringt, Ersteren auf den Weg des Verderbens hetzt, so ist auch ihre letzte That eine Lüge gegen sich selbst und andere. Ich meine, der versteht des Dichters wahre Absichten schlecht, wenn er auch nur die Spur einer seelischen Entwickelung in Hedda Gabler finden zu können glaubt. Feigheit und Lüge sind die Grundlagen ihrer Persönlichkeit von Anfang bis zu Ende; was wir erleben, ist die moralische Katastrophe dieses Hau's.

Die tiefer liegenden Ursachen eines so trostlosen Bankerotts sind zu suchen in dem völligen Mangel einer Erziehung zu

sozialem Pflichtgefühl, deffen Verschärfung und Verinnerlichung
doppelt notwendig gewesen wäre gerade in einer gesell=
schaftlichen Krise, die die Frauen von einer Reihe sie
bisher einengender Vorurteile befreit und sie mit einer
ungleich größeren persönlichen Verantwortung belastet. Hedda
Gabler ist der typische Fall einer antisozialen Frauen=
emancipation, die sich mit einer Loslösung der Frau aus
ihrem durch den Beruf der Gattin und Mutter begrenzten
Pflichtenkreis begnügt, anstatt durch eine Erweiterung und
Vertiefung desselben ihnen neue Aufgaben zu schaffen. Die
gescheiterte Existenz einer Übergangsperiode, an deren Unter=
gang nicht diese allein die Schuld trägt, sondern der zum Teil
der Vergangenheit, zum Teil der Gegenwart zur Last fällt.
Der Vergangenheit, die, in der Beschränkung auf den engsten
häuslichen Pflichtenkreis der vier Wände, nicht nur Bestrebungen
nach größerer Freiheit sondern auch die Entwickelung eines sozialen
Pflichtgefühls künstlich hemmte; der Gegenwart, die es nicht ver=
standen, die besonderen Aufgaben einer Übergangsperiode recht=
zeitig zu erfassen und zu erfüllen. Der Ibsen der „Stützen
der Gesellschaft" würde diesen Gedanken wohl auch aus=
gesprochen und in Rede und Gegenrede verfochten haben,
der Dichter der „Hedda Gabler" hat sich begnügt, dieses Ver=
hältnis ungleich nachdrücklicher zu veranschaulichen in den
drei Männern, die er zu Hedda Gabler in Beziehung
setzt. Weder Tesman noch Brack noch Lövborg sind der
Aufgabe gewachsen, der aus den Schranken der Gebunden=
heit hinausschreitenden Frau Helfer, Halt und Wegweiser,
Kamerad zu sein. Für den einen ist sie, nach wie vor,
das glänzende, hübsche Spielzeug, das er bewundert, auf
deffen Besitz er stolz ist, für den anderen ein willkommener
Gegenstand frivoler Galanterie, die dem sonst inhaltleeren
Dasein einen pikanten Reiz giebt; und der Dritte, dem wohl
ein Bewußtsein einer anderen Bestimmung und eines höheren

Wertes der Frau in der neuen Gesellschaft aufgegangen ist, weil er die Beweise davon hat, der ist selbst innerlich und äußerlich so wenig seinen persönlichen Pflichten und Lebensaufgaben gewachsen, daß er außer stande ist, anderen Wegweiser zu sein.

So gehen in dieser Gesellschaft Männer und Frauen nebeneinander her, ohne daß einer des anderen Sprache verstände. Sie haben die Gemeinsamkeit einer Lebensanschauung verloren, die die einzige Grundlage einer möglichen inneren Verständigung und eines gegenseitigen Tragens und Ertragens ist. So ist Hedda außer stande, das, was in Tesmans Charakter tüchtig und liebenswert ist, auch nur zu erkennen. Sie sieht nur die gewisse philiströse Beschränktheit und leidet unter einer Reihe von Äußerlichkeiten, die ihr auf die Nerven fallen. Und noch weniger ist sie fähig, jene rührende, selbstaufopfernde Güte, die sich in der guten Tante Julle verkörpert, in ihrer schlichten Größe und Zartheit und Vornehmheit zu würdigen; sie sieht nur das Kleine und Komische. Ja das Weiblich-Mütterliche, das in diesem alten Mädchen ungleich lebendiger ist, als in der jungen Frau, die sich voll Angst vor dem Häßlichen und Lächerlichen Mutter fühlt, ist eine Schranke mehr zwischen ihnen beiden. Ebensowenig haben Tante und Neffe eine Ahnung von dem, was in Hedda vorgeht. So feinempfindend und taktvoll die alte Dame ist, sie würde es nie begreifen, daß Hedda Gabler nicht die höchste Seligkeit bei dem Gedanken empfindet, die Gattin ihres angebeteten Jörgen und die Mutter seiner Kinder zu sein. Aber ebenso wenig wie diese verstehen sich im Grunde Hedda und Lövborg, und Brack und Hedda, so sehr sie glauben sich gegenseitig zu durchschauen. Den Schlüssel zum Wesen des anderen hat keiner, den eben nur eine gemeinsame Lebensanschauung giebt. Diesen dreien aber fehlt eine solche überhaupt, es sei denn, daß man einen skrupellosen Egoismus, der ihnen allen gemeinsam ist, dafür nehmen wollte.

Am wenigsten aber verstehen sich vielleicht die beiden, die nicht nur durch die Gemeinsamkeit des Geschlechtes, sondern auch als derselben Generation angehörig, unter, wenn auch nicht den gleichen, doch ähnlichen Daseinsbedingungen aufgewachsen, auf einander angewiesen erscheinen. Hedda Gabler und Thea Elvsted. „Das süße, kleine Schaf hat seine Finger an einem Menschenschicksal gehabt," sagt Hedda einmal spöttisch von ihr. Daß dies süße, kleine Schaf über eine geistige und sittliche Energie verfügt, mit der sie alle, auch die Männer beschämt, ist ihr dabei wohl bewußt. Aber Hedda glaubt diese, auf einem einfachen, strengen, wenn auch alles eher als bürgerlich konventionellen Pflichtgebot, sich auf= bauende Lebensanschauung verachten zu können, weil sie die innere Freiheit, aus der Thea Elvstedt sich unbekümmert um Skandal und das Urteil der Welt zu dem, was sie für richtig erkannt hat, bekennt und ohne Nebengedanken und Neben= absichten handelt, als Ausfluß geistiger Beschränktheit ver= achtet und auch fürchtet. Das tiefe, frauenhafte Wort, das Thea auf die Nachricht von der Vernichtung des Werkes, zu dem sie Eilert inspiriert hat, spricht: „Mein Lebtag wird es vor mir stehen, als hättest du ein kleines Kind gemordet ... Ich hatte ja auch meinen Anteil am Kinde", giebt aber erst den eigentlichen Schlüssel zu dem Geheimnis des unüberbrück= baren Gegensatzes, der zwischen beiden Frauen besteht und der jede Verständigung ausschließt. In dem ganzen, den konven= tionellen Begriffen bürgerlicher Wohlanständigkeit schroff widersprechenden Benehmen Thea Elvsteds, die Mann und (Stief=) Kinder verläßt, ihren Ruf opfert, um dem Mann, dem ihre Seele sich zu eigen gegeben, als Kamerad zur Seite zu stehen, verleugnet sie keinen Augenblick die Frauennatur. Aus einem Gemisch von frauenhaften und mütterlichen In= stinkten, die sie zu dem Schöpfer ihrer geistigen Existenz und dem Gegenstand ihrer zärtlich fürsorgenden Liebe ziehen, handelt sie, und der rein geistige Vorgang ihrer gemeinsamen Thätigkeit mit Lövborg wird ihr von selbst ein Symbol körperlicher Mutterschaft, die ihr versagt ist: „Unser Kind". Für Hedda aber, die schaudert vor der Aussicht, selbst Mutter zu werden, und zwar nicht nur, weil sie den Vater ihres Kindes nicht liebt, sondern weil der Gedanke an die Opfer, die das werdende Leben von ihr fordert, gräßlich und unerträglich ist, ist gerade dies Bild von der geistigen Gemeinschaft, das Thea gebraucht, ein Stachel, der sie zur Vernichtung dieses „Kindes" reizt; ja mehr noch die verbrecherische That der Vernichtung des Manuskripts bekommt für sie einen besonderen, perversen Reiz durch die Autosuggestion, daß es ein lebendiges Kind ist, das sie tötet: „Jetzt verbrenne ich dein Kind, Thea. Dein und Eilert Lövborgs Kind. Jetzt verbrenne — jetzt verbrenne ich dein Kind." Und während Thea, eben weil sie mit keinem Fußbreit aus dem Bereich des natürlichen weiblichen Empfindungslebens hinaustritt, ganz sicher und fest, einer an und für sich ihrer weichen, schüchternen Natur widerstrebenden, aber durch ihr sittliches Empfinden ihr aufgenötigten Situation gegenübersteht und ohne mit der Wimper zu zucken, den Vorurteilen, der Verleumdung und dem Skandal die Stirne bietet, ist Hedda, wurzellos und haltlos, dem natürlichsten weiblichen Empfinden abgestorben, auch der kleinsten Aufgabe, die ihr das Leben stellt, nicht gewachsen.

Die alte Losung hat sie vergessen, die neue Losung hat sie nicht verstanden, und so wird sie zwischen der alten und neuen Zeit zermalmt.

Keiner von diesen Menschen versteht den anderen, keiner sieht, und zwar nicht nur die Egoisten, über einen gewissen beschränkten Kreis hinaus. Keiner, mit Ausnahme einer Frau, hat etwas, das er wirklich einsetzen kann, als Kraft, die nicht nur ihm selber, sondern auch anderen hilft, keiner ein Panier

9*

aufzuwerfen, das als etwas Bleibendes über dem Dunst der Leiden=
schaften und Parteien und Vorurteile des Tages weht. Die Besten
— auch Thea — handeln immer noch mehr aus Gefühlsdrängen
als aus klarer Erkenntnis einer erkämpften und erprobten Über=
zeugung heraus. Das ist das Bild der ringenden, gährenden
Zeit, die den Boden der alten Weltanschauung unter den Füßen
verloren hat und vergeblich ringt, sich zu einer neuen empor=
zuarbeiten. Daran sind Hedda Gabler und Eilert Lövborg
zu Grunde gegangen, daran geht auch der Baumeister Solneß
zu Grunde.

IX. Baumeister Solneß.

Während in „Hedda Gabler" das Symbolische ganz zurücktritt und, mehr im Stil der früheren Dramen, wo es erscheint, nur zu einer, an und für sich durchaus realistisch gefaßten
und durchgeführten Handlung leise Begleitakkorde abgiebt, ist
im „Baumeister Solneß" die äußere Handlung nur das Gefäß
für die symbolische Handlung, ist erstere gar nichts für sich
und ist daher für Deutungsursachen aller Art hier noch ein
ungleich größerer Spielraum gegeben als in der „Frau vom
Meere". Gleichwohl hat „Baumeister Solneß" vor jener einen
großen Vorzug voraus: Die symbolischen Hauptgestalten
und die symbolische Haupthandlung sind mit einer so großen
und sicheren Linienführung herausgearbeitet, das Problem
ist so scharf eingestellt, daß die Reflexion darüber, was ist
mit diesem oder jenem Wort oder dieser oder jener Handlung
gemeint, eigentlich gar nicht aufkommt, weil das Symbolische sich
in der Regel mit dem Thatsächlichen deckt und zugleich durch
das Thatsächliche hindurchleuchtet. Freilich gilt das unbedingt
nur von den Hauptzügen und Hauptgestalten; in den sekun-
dären Personen und Motiven des Dramas ist dagegen gelegentlich wieder eine Verschwendung an Geheimfiguren und
Schnörkeln entfaltet, die die reinen und klaren Linien des
Hauptbaues zuweilen sehr störend verwirren, und unnatürlich
verzerrt und gebrochen erscheinen lassen.

Solneß ist ein Geistesverwandter Eilert Lövborgs, mehr vielleicht noch Ulrik Brendels, in manchem auch Johannes Rosmers. Der Mann der neuen Zeit, der mit rücksichts= loser Energie sich frei macht von den Vorurteilen und Schranken des alten Herkommens und des alten Glaubens, der die Hand ausstreckt nach dem Höchsten, und der in sich den Beruf fühlt, anderen den Weg zu weisen. Aber in dem Augen= blick, wo das neue Wesen die Probe bestehen soll, bricht er kraftlos zusammen, weil sein seelischer Organismus sich für die letzte Kraftanstrengung als viel zu zart erweist.

Er ist der Typus der geborenen Halben, die sich ver= messen, Ganze zu sein, die mit dem Alten fertig sind, aber für das Neue keine Kraft haben; zugleich aber der Typus einer ganzen Generation, die als radikaler Bahnbrecher thätig gewesen ist, und nun, auf der Höhe des Lebens, von der nachstürmenden Jugend der neuen Generation ge= drängt, wider Willen, Schritt für Schritt, um nur nicht zum alten Eisen geworfen zu werden, sich über die Linie ihres Könnens hinausdrängen, zu einer Überspannung ihrer Kräfte verleiten läßt, die ihren Untergang beschleunigt; und schließlich auch ein Typus des modernen Menschen, der die alte Weltanschauung und ihre Grundlagen sich und anderen zerstört hat, und nun in qualvoller Enttäuschung sich davon überzeugen muß, daß die neuen Ideale, die er an die Stelle der zertrümmerten setzen wollte, versagen, weil die positiv erzeugende Kraft fehlt; und daß auf einer Reihe von wirklich oder scheinbar widerlegten Vorur= teilen und Irrtümern, welche Bestandteile einer in sich ge= schlossenen, historisch entwickelten Weltanschauung bildeten, sich nicht über Nacht eine neue erbauen läßt, die die Aufgabe er= füllt, durch den Ausblick auf Bleibendes, Ewiges den irrenden und kämpfenden Menschen einen Halt und eine Norm ihres Handelns zu geben.

Halvard Solneß war in seiner Jugend ein Mann von großer Thatfreudigkeit, von starkem Selbstvertrauen und eiserner Willenskraft: ein höheres Leben über dem Dunst der Gemeinheit und Alltäglichkeit schwebte ihm als Ideal vor, kindlich gläubig im Geiste der Väter. „Als Junge war ich in einem frommen Haus auf dem Lande aufgewachsen. Und da meinte ich denn, es könnte für mich gar nichts Höheres geben, als dieses Kirchenbauen." Im Religiösen verkörperte sich ihm das Höchste, im Glauben an den persönlichen Gott glaubte er den Halt und die Gewähr für das Gelingen seines Strebens zu haben.

Allein dieser Glaube erstarb langsam, fast unmerklich, im Kampf des Lebens, im Kampf der Leidenschaften, in dem ihn, wie er wähnte, sein Gott im Stich ließ, der Gott, der es zuließ, „daß der Unhold in mir herumrumorte nach eigenem Gutdünken." Oder richtiger, dieser persönliche Gott änderte für ihn plötzlich seinen Charakter. Es war nicht mehr der Gott der Liebe und Güte, der in schlichtem Glauben und kindlichem Gehorsam verehrt sein will, sondern ein starker, eifriger, gewaltsamer Gott, der zerrt und reißt und treibt und jagt über Abgründe, durch Sumpf und Dorngestrüpp, mitten durch das gemeine, tägliche Leben, empor, aufwärts zu den Höhen und der reinen stillen Luft, wo die Leidenschaften und Begierden einschlafen.

Aber auf dem Wege zu einem neuen Gott, mit einem neuen Gott türmten sich gewaltige Hindernisse auf, die der allein Wandernde wohl leicht übersteigt oder umgeht, die aber den, der anderen als Begleiter, als Führer dient, zwingen. Halt zu machen und Bresche zu legen. Da lag das alte Haus, „von außen nahm es sich aus wie ein großer, häßlicher Holzkasten. Aber inwendig war es doch ganz nett und gemütlich": Die alte Weltanschauung, in der Solneß' Frau aufgewachsen, in der sie sich allein

wohl fühlte, und aus der auch ihm, sobald er wieder in
ihren Bannkreis sich ziehen ließ, ein Atem des Friedens
und der Ruhe entgegenwehte, die ihm den Willen und
die Thatkraft lähmten. Er glaubte zu fühlen, daß nur, wenn
es ihm gelänge, auch sie aus dem Bann zu befreien, es
ihm möglich sein werde, sein Ziel zu erreichen, indem er sie mit
sich fortrisse.

So begann er systematisch, ohne daß sie es gewahr
wurde, die Grundlagen ihrer Weltanschauung zu zerstören,
den Zusammenbruch vorzubereiten. „Die kleine, schwarze Ritze
im Schornstein" ward nicht ausgebessert und eines Tages
brannte das Haus nieder. Aber anders als er gedacht: nicht
von außen sah die arme Frau das Alte zusammenbrechen,
sondern in der Nacht im Schlaf überfiel sie es, und unter
den Trümmern begrub sie ihren Glauben und ihre Hoff=
nungen.

Sie suchte sich eine neue Stütze, die Pflicht, an der
sie freudlos und glaubenslos einsam den Weg an der Seite
ihres Mannes weiter wanderte, in dumpfer Trauer nicht um
die blühenden Zukunftshoffnungen, die die Katastrophe vernichtet,
sondern viel mehr um die alten, aus Kinderjahren ins Leben
der Gegenwart heimlich hinübergeretteten Idole, die nun für
immer vernichtet waren. Ihr Lebensinhalt war ihr genommen
und damit ihre Fähigkeit, Liebe zu geben und Leben zu geben
erloschen: eine verkrüppelte Existenz.

Das hatte Harvard Solneß nicht gewollt und nicht
erwartet, und nun ward er wirklich irre an dem Gott
überhaupt. In dem Augenblick, wo er die ersehnte Frei=
heit erlangte, wo durch den völligen Zusammenbruch des
alten Hauses sich ihm ein unbegrenztes Gebiet des Schaffens
in freier Schönheit erschloß, verflog ihm mit dem Glauben
an eine höhere, sittliche Weltordnung die Lust, seine Kraft
in den Dienst eines Wahns zu stellen. Es kam noch einmal

zwischen ihm und seinem Gott zu einem Kampf. Am
stolzesten Tage seines Lebens, wo er aus dem Gefühl
der Vollkraft des Schaffens heraus zum erstenmal in
seinem Leben den leise nagenden Zweifel an sich selbst
siegreich bekämpfte, als er auf dem Turm der Lysanger
Kirche den Kranz hoch oben schwindelfrei aufhängte, da sagte
er seinem Gott auf und stellte sich aus freiem Entschluß in
den Dienst der kämpfenden und arbeitenden Menschheit. Aber
in Wirklichkeit war es doch etwas anderes. Es war nicht nur
die Überzeugung, daß diese Arbeit ihn Gott ebenbürtig
mache, sondern es spielte mit herein eben der nagende Zweifel
an der eigenen Kraft das Höchste zu leisten, der vom ersten
Augenblick an ihm die Höhenarbeit verleidet hatte. Es war also
kein freiwilliger Verzicht geboren aus dem Bewußtsein der Kraft
sondern aus dem Bewußtsein der Schwäche. Damit kam die
Lüge in sein Leben und damit die Halbheit; und damit die
Angst und damit die Friedlosigkeit.

Diese große Lebensarbeit, für die er seinen Frieden,
das Glück seines Hauses geopfert, die in den Augen
der Menschen, für die er schuf, ihm den Nimbus der
Größe verlieh, sie füllte ihn nicht aus, sie befriedigte ihn
nicht: „Heimstätten für Menschen zu bauen," sagt er zu
Hilde, „das ist keine fünf Pfennige wert .... Jetzt sehe
ich's ein. Die Menschen haben die Heimstätten da gar nicht
nötig. Jedenfalls nicht um glücklich zu sein ... Sehen Sie, das
ist der ganze Abschluß, soweit ich zurückblicke. Nichts gebaut,
im Grunde genommen." „Und" — setzt er hinzu — „auch nichts
geopfert, um zum Bauen zu kommen." Er ist doch in der
Kleinlichkeit und Enge und Mittelmäßigkeit stecken geblieben,
weil, um ohne Glauben und ohne Ideal, wie die Mortens=
gards, die Menschheit in seinen Dienst zu zwingen, indem
man ihr zu dienen scheint, nicht nur der eiserne Wille und
die Rücksichtslosigkeit notwendig ist, sondern auch der echte

Wikingertrotz und ein robustes Gewissen, das sich mit Lachen und ohne Reue auch über Leichen den Weg bahnt. Aber Harvard Solneß ist kein Übermensch. Er steht nicht jenseits von Gut und Böse, er leidet unter der Schuld und unter der Reue. Er sehnt sich zugleich nach neuer Schuld und hat doch nicht den Mut dazu.

Aus der Vergangenheit, die er unter die Füße ge= stampft hat, hat er eins mit in die neue Welt gebracht, ein kränkliches Gewissen. Und zu der Reue über die alte Schuld und zu der Angst vor einer neuen, kommt noch als Drittes hinzu, die Furcht vor denen, die stärker sind als er, vor der Jugend, die ihm auf den Fersen sitzt, vor einer jungen, radi= kalen Generation, die nicht nur mehr kann als er — Ragnar Brovik — und die zugleich als Rächer auftritt für die schwächeren Nebenmänner, die er, als er jung war, mitleidlos aus dem Wege geräumt hat, sondern die auch nicht beschwert ist mit all dem moralischen Ballast, der ihm noch anhängt, die gar keine Furcht hat vor den Unholden in der eigenen Brust, die frei und wild ist, wie ein Raubvogel, und die nichts an= deres sein will: „Warum sollt ich nicht auch auf Raub aus= gehen. Die Beute an mich zu reißen, zu der ich Lust habe? Wenn ich sie nur packen kann mit meinen Krallen. Und die Oberhand behalten" (Hilde); vor der Jugend, die ein „robustes Gewissen" hat, für die „Pflicht" ein „häßliches garstiges Wort" ist und die es „albern" findet, „daß einer nach seinem eigenen Glück nicht greifen darf. Nach seinem eige= nen Leben nicht; bloß weil jemand dazwischen steht, den man kennt."

Aber zugleich ist in dieser Jugend, vor der er sich fürchtet, „die bereit steht um bei ihm anzuklopfen und dem ganzen Baumeister Solneß den Garaus zu machen", auch ein Element vorhanden, das eine wunderbare, unwiderstehliche An= ziehungskraft auf ihn ausübt: das Ungebrochene, Frische,

Grabe, frei in die Höhe Strebende, das ihr aus den Augen lacht, das zu freudiger That drängt. Und diese Jugend, die er in all seiner Angst vor ihr, „doch im Grunde so sehn= lich herbeiwünscht", ist es gerade, die mit einer Forde= rung, die er, die die ältere Generation nicht erfüllen kann, an ihn herantritt. Die Jugend (Hilde) knüpft nicht an an die Mannesarbeit der älteren Generation — die ist ihr gleichgültig, bedeutungslos —; sie fordert von der älteren Generation die Einlösung von Versprechungen, die jene in der Jugend gegeben. Nicht die Erbauer von nützlichen Heimstätten für die Mensch= heit, die in der Niederung hausen, imponieren ihr, sondern die, die hohe, hohe Türme bauten, von denen man frei und und weit ins Land sehen, und Himmel und Erde in einem Blick in ihrer Größe und Schönheit umschließen und erfassen konnte. Die Jugend, die träumt von einem Schloß, „das hoch oben liegen soll. Und frei nach allen Seiten hin, so daß ich weit hinausblicken kann, weit hinaus. Und darauf ein ungeheuer hoher Turm. Und ganz oben auf dem Turme ein Söller." Auf dem will sie stehen, frei von Schwindel und Furcht, „und die andern ansehen, die, die Kirchen bauen und die Heimstätten für Mutter und Vater und die Kinder= schar". Und dann da oben, da wird erst das „Herr= lichste" gebaut; das Neue, das das gemeinsame Werk ist der Alten, die umstürzten und der Jugend, die auf ihren Schultern steht.

Aber diese Forderung, die die junge, in Hilde Wangel ver= körperte, Generation stellt, ist die ältere einzulösen nicht mehr fähig. Sie kann weder mehr Kirchtürme bauen wie die Vor= fahren, noch den neuen Bau aufführen, der den weiteren Blick giebt. Sie leidet an Schwindel, sie hat in den niedern Regionen der ideallosen Alltagsarbeit es verlernt, da droben sicher zu stehen. An dem Versuch, der warnenden Stimme im Innern zum Trotz, das Versprechen der Jugend einzulösen, geht sie zu Grunde.

Die Jugend aber sieht in diesem Augenblick nur, daß der Wille da war, wieder in die Höhe zu streben, auch in diesem Abgestürzten sieht sie nur den, der doch noch bis zur Spitze kam. Und so ist und bleibt der, der spät wieder zu den Idealen seiner Jugend, die auch die ihrigen sind, sich zurück= gefunden, ihr Führer, ihr Vorbild, „ihr Baumeister".

Der Kampf zweier Generationen um eine neue Welt= anschauung, Zerstörung und aufbämmernde Hoffnung und Ahnung eines neuen Baues von reinen starken Händen in der Zukunft, dargestellt in einem Menschenleben, das ist die Tragödie des Baumeister Solneß.

Jeder derartigen Übersetzung des Symbolischen, wie ich es hier versuchte, haftet eine gewisse Trockenheit, etwas Schema= tisches an. Um die ineinanderlaufenden Fäden des eigentlichen Gewebes zu zeigen, muß man zu viel auflösen, zerstören, zu viel erklären. Und immer bleibt außerdem noch ein Rest, der nicht so rein aufgeht. Bild und Vorstellung decken sich nicht allemal; manche nebensächlicheren Beziehungen fallen, ebenso wie die Erklärung einiger zweifellos vorhande= nen Widersprüche, ganz aus. Trotzdem glaube ich, daß diese Übersetzung im wesentlichen den Gedankeninhalt der Tragödie wiedergiebt.

X. Klein Eyolf.

Durch die strenge und doch in der großen Linienführung anschauliche Symbolik hat der „Baumeister Solneß" eine innere Geschlossenheit und zugleich dramatische Überzeugungskraft erhalten, die sonst in den Worten des alternden Ibsen nicht für jedes Auge zu erkennen ist und deren Mangel sie vor allen Dingen auf der Bühne nicht recht hat heimisch werden lassen. Wenn trotzdem auch der „Baumeister Solneß" über verhältnismäßig spärliche und gedämpfte Erfolge nicht herausgekommen ist, so lag das wohl an der Verwendung des Symbolischen überhaupt, dessen Sprache zu verstehen nicht nur eine gewisse ästhetische Vorbildung, sondern auch eine Vertrautheit mit der Gedankenwelt gerade dieses Dichters erforderlich ist, wie sie einem Durchschnittstheaterpublikum, geschweige denn einem Premierenpublikum nicht zur Verfügung steht.

Weniger verständlich erscheint diese Sprödigkeit gegenüber dem zwei Jahre danach, 1895, erschienenen Schauspiel „Klein Eyolf". Denn allerdings tritt in ihm, zu Anfang namentlich, jene Verschleierung der Thatsachen durch das Symbolische, jenes Spielen mit geheimnisvollen Formeln und Bildern, mitten in einer an und für sich durchaus realistischen

148

Handlung, die in der „Frau vom Meere" so verhängnisvoll wirkten, wieder mehr zu Tage; je weiter aber sich die dramatische Handlung aus den Charakteren entwickelt, offenbart dieses Werk des Alters eine Reihe von neuen, überraschenden Zügen, die, sollte man meinen, gerade ihr Sympathien auch in den Kreisen erwecken müßten, die sonst den Problemen Ibsens gegenüber sich gleichgültig oder schroff ablehnend verhalten. Daß dies nicht eintrat, hat seinen Grund zum Teil wohl in jener brutalen Voreingenommenheit des Urteils, die gerade in jenen Kreisen zu Hause ist, die sich nicht die Mühe nimmt, auf Grund neuer Prüfung neuer Werke die Stellung, die auf Grund früherer Eindrücke einem Dichter gegenüber einmal eingenommen wurde, zu revidieren und zu berichtigen, zum Teil allerdings auch wohl darin, daß gerade „Klein Eyolf" an die, nicht minder große, Masse des Publikums, die auch durch die genialste, künstlerische Behandlung über einen an und für sich heiklen Stoff nicht hinwegkommen kann, der die Prüderie den Kunstgenuß lähmt, besonders große Anforderungen stellt, denen sie sich diesmal um so weniger gewachsen erwies, als man gerade in dieser Hinsicht von Ibsen sich keiner besonderen Überraschungen vermuten war. Und dabei bietet, wie gesagt, gerade „Klein Eyolf" dem, der nur zögernd und mit Vorbehalt zu einer objektiven Würdigung der künstlerischen Persönlichkeit Ibsens sich durchringt, eine Reihe von wirklich freudigen Überraschungen, so ernst und so grausam auch das tragische Problem gepackt und durchgeführt ist.

Die landschaftliche Stimmung spielt bei Ibsen häufig eine große Rolle; die Natur antwortet bei ihm mit ihren Farben und Tönen auf die Menschenlaute und Schicksale, die wir in ihren Bannkreis anklingen hören und sich vollziehen sehen. Ich erinnere nur an die grauen Nebelschleier in den „Gespenstern" und die wechselnden Landschaftstim-

mungen und =bilder in der „Frau vom Meere" und im
„Baumeister Solneß".

„Klein Eyolf" beginnt in der Morgenfrühe eines war=
men Sommertags, und endet am späten Sommerabend mit
klarem Himmel. Für den dazwischen liegenden zweiten Akt
heißt es: „Das Wetter ist bleiern und regnerisch, mit
treibenden Nebelwolken." Das deutet von vornherein auf
eine Katastrophe im ersten Akt, auf Kämpfe und Verdüste=
rungen im weiteren Verlauf, auf Befriedung und Abklärung
am Ende.

Je älter Ibsen wird, desto mehr gewinnt man den Ein=
druck, daß in jedem Drama, abgesehen von dem besondern
dramatischen Konflikt, den es behandelt, und von der jeweiligen
symbolischen Deutung, die er den einzelnen thatsächlichen Vor=
gängen giebt, das Drama als Ganzes Abbild gewisser Vor=
gänge und Wandlungen seines eigenen Lebens wird, viel=
leicht ihm selbst gar nicht klar bewußt. Und so leuchtet
durch die Schicksale und Wandlungen von Alfred Allmers
und Frau Rita das Bild einer großen Lebenskrise hindurch,
die sich in Ibsens Innern im Laufe eines Jahrzehntes ab=
gespielt und ausgespielt hat. Alle die Gewalten und Ge=
fahren, mit denen diese beiden Menschen gekämpft und
unter denen sie gelitten haben, sie haben auch in seinem
Leben eine Rolle gespielt. Aber während, abgesehen von der
Scheinlösung in der „Frau vom Meere", er bisher nie für die
Schicksale seiner Gestalten, die Träger seiner Gedanken einen
harmonischen Ausgleich zwischen Wille und That und Pflicht
und Neigung zu finden versucht, richtiger vermocht, wäh=
rend er immer über dem Zittern einer ungelösten Dissonanz den
Vorhang fallen ließ, weil er selbst noch von der Dissonanz
beherrscht war, erklingt hier in „Klein Eyolf" zum ersten mal,
nach stürmischem Tagwerk wieder ein wirklich friedevoller Schluß=
akkord, der gleich weit entfernt von müder Resignation,

wie von blasser Schönfärberei ist. Mit seiner Generation
und für seine Generation hat er sich aus den Trümmern
seiner alten Ideale ein Floß gezimmert, auf dem er nun im
Abendschein auf geglättetem Meeresspiegel dem letzten Ziele
vertrauend und hoffend entgegensteuert.

In der ganzen Reihe der Ibsenschen Dramen, die wir
bisher beleuchtet haben, giebt es keines, das so reich an
schroffsten, schrillsten Dissonanzen wäre, wie „Klein Eyolf",
aber auch keines, was eine so reine und schöne Auflösung von
innen heraus böte wie „Klein Eyolf". — Diese Leistung er=
scheint um so bewunderungswürdiger, als Ibsen hier, zum
erstenmal seit Jahren, mit der ihm eigentümlichen, und
von ihm zur höchsten Vollendung ausgebildeten Technik,
des analytischen Dramas gebrochen und gerade sein viel=
leicht am tiefsten empfundenes Drama aufgebaut hat auf
einer vor unseren Augen sich vollziehenden Katastrophe,
die den Ausgangspunkt bildet für eine vor unsern Augen
sich vollziehende innere Wandlung und Entwicklung der
Charaktere.

In allen bisherigen Dramen Ibsens sind die Charaktere an
und für sich fertig, ehe das Drama einsetzt. Sie erschließen sich
uns in einer bestimmten Situation, unter dem Zwang einer be=
stimmten, durch Voraussetzungen, die lange vor Beginn des
Stückes liegen, festgelegten, wie ein eingestelltes Uhrwerk ablau=
fenden Handlung. Das ganze Interesse ist darauf konzentriert,
durch die Handlung, in der sie vor uns erscheinen, den Kern
ihres Wesens zu enthüllen, nicht zu entwickeln. Auch wo, wie
in „Nora" scheinbar eine Wandlung des Charakters vor unsern
Augen sich vollzieht, ist das eben nur Schein. Der Charakter
Noras ist völlig fertig im Augenblick, wo das Stück beginnt.
Die einzige Gestalt, die dem zu widersprechen scheint, ist der
Charakter Ellidas in der „Frau vom Meere". Hier ist
thatsächlich ein anderes Verfahren eingeschlagen, aber wie ich

glaube nachgewiesen zu haben, mit so einem glücklichen über-
zeugenden Erfolg, daß man hätte versucht sein können, gerade
danach die Grenzen von Ibsens dramatischer Technik ab-
zustecken. Wie voreilig das gewesen wäre, beweist eben
„Klein Eyolf".

So viele und so bedeutungsvolle Voraussetzungen des
dramatischen Konflikts, dessen Knüpfung und Lösung den
Kern der vor unsern Augen sich abspielenden Handlung ab-
geben, auch in den vor Aufgang des Vorhangs liegenden Begebenheiten enthalten sind, so setzt hier doch das Drama nicht
erst mit der Katastrophe ein, mit dem letzten Akte in einem
Menschen- oder Familienleben, sondern mit der Peripetie, die
der Katastrophe vorausgeht; oder richtiger vielleicht, es setzt
allerdings mit einer vor unsern Augen sich vollziehenden
Katastrophe ein, die aber die durch die Ereignisse der Vorfabel geprägten Charaktere einen Umschmelzungsprozeß während der Handlung durchmachen läßt.

Vom Standpunkte der dramatischen Technik ist das hier
von Ibsen eingeschlagene Verfahren insofern noch ganz besonders interessant, als es sich hier um ein tragisches Kon-
fliktsmotiv handelt, das er bereits früher, da aber als ein
sekundäres, in seiner alten Weise als vor Beginn der Handlung liegend uns analytisch nahe gebracht hat — ich meine
im „Baumeister Solneß" den Tod des Kindes und seine Wirkung auf das Verhältnis der beiden Gatten zu einander. —
Man gewinnt den Eindruck, als ob er durch die Versetzung
dieses Motivs in „Klein Eyolf" an die erste Stelle von innen
heraus gezwungen worden sei, mit seiner herkömmlichen Technik
zu brechen, um die dramatisch fruchtbaren Keime des Motivs
zur Entfaltung zu bringen. Eine Beobachtung, die mir für
die geheimen Gesetze dramatischer Technik überhaupt bedeu-
tungsvoll erscheint.

Aber auch in anderer Hinsicht ist gerade das Drama ein

Probierstein für Ibsens technische Meisterschaft, weil er hier
in die, auf die Entwickelung der beiden Hauptcharaktere
Allmers und Rita abzielende, dramatische Handlung eine zweite,
nur auf Erschließung zweier Charaktere durch die allmähliche
Entschleierung einer in der Vorfabel enthaltenen Begebenheit
hinauslaufende Handlung — in dem Verhältnis Allmers zu
Asta — kunstvoll aber nicht künstlich verflochten hat.

Beide aber behandeln dasselbe Problem; das Problem,
das Ibsen öfter und lebhafter beschäftigt hat, als irgend ein
anderes, das auch in den Dramen, in denen es nicht den
Angelpunkt bildet, um den sich alles dreht, eine Rolle spielt:
die Lebensgemeinschaft von Mann und Frau, eine Ehe, die
keine Kameradschaft ist, und eine Kameradschaft, die aus
sozial=rechtlichen Gründen keine Ehe werden kann. Nur die
Ehe, die zugleich Kameradschaft ist, d. h. die auf gleicher Gesinnung, völliger Übereinstimmung über die Lebensziele beruht, und in der auf beiden Seiten der Wille und die Kraft
vorhanden ist, einander ohne Vorbehalt zu geben, was ein
jeder besitzt und von einander zu nehmen, was einem jeden
fehlt, hat eine sittliche Berechtigung, nur sie hat die Fähig=
keit, auch in sozialer Beziehung den höchsten Zweck der Ehe
zu erfüllen, d. h. einer neuen Generation das Leben zu geben
und in gemeinsamer Arbeit diese neue Generation mit den
geistigen und sittlichen Kräften auszurüsten, die sie braucht,
um in den Kämpfen des Lebens zu bestehen.

Die Ehe von Alfred und Rita Allmers beruht auf anderen
Grundlagen. In beiden schlummern Kräfte, die richtig geleitet
und richtig ergänzt, Großes und Gutes zu wirken vermocht
hätten, die aber in ihrer Vereinigung und grade durch ihre
Vereinigung ausarten. Der ideale, aufs Höchste gerichtete
Sinn Alfred Allmers verliert sich an der Seite dieser Frau,
die er aus einem Gemisch von kühler Berechnung und auf=
wallender Sinnlichkeit genommen, nachdem der erste sinnliche

Rausch verflogen, da er für seine Interessen bei ihr von vorn=
herein kein Verständnis voraussetzt, in einem trägem Traum=
leben, in der Vorstellung hoher Lebensziele, die nie wirklich wer=
den. Die warmblütige Menschlichkeit Ritas hingegen, die in
ungebändigter Thatenlust glüht und blüht, verzerrt sich in
der Gemeinschaft mit diesem temperamentlosen Träumer, der
kein Auge und kein Ohr für die nach Befreiung aus dem
Triebleben zu höherem Menschentum aufstrebende elementare
Urkraft dieser vollsaftigen Natur hat, der ihr gedankenlos
auch noch den letzten Halt, ihren Kinderglauben, zerstört hat,
ohne ihr einen Ersatz dafür zu bieten, zu einer brutalen, zügel=
losen Sinnlichkeit, die wie ein fressendes Feuer auch die letzten
schwachen Stützen, die den Bau ihrer Lebensgemeinschaft
trugen, zerstört. Denn das sinnlich Animalische, das ihn
zuerst in ihre Arme getrieben, wird für den Mann, nachdem
die erste Illusion dahin, geradezu zu einem Gegenstand des
Widerwillens und Grauens, das ihn von ihr fernhält.

Aus einer solchen Lebensgemeinschaft kann keine gesunde
Nachkommenschaft erblühen. Das Kind, dem sie das Leben
giebt, kommt zwar gesund zur Welt, wird aber, noch ehe es
zum Bewußtsein des Lebens erwacht, durch Schuld der Eltern
zum Krüppel: Klein Eyolf, der infolgedessen nicht schwimmen
kann wie die andern Kinder und doch, noch ahnungslos
über seinen wahren Zustand, sich hinaussehnt in den Kampf;
der so gern „lernen möchte, Soldat zu werden". Und so
erliegt dieses Kind, das dann auch, ein Symbol einer Gene=
ration, die ohne Waffen, d. h. ohne die Grundlage einer festen
Lebensanschauung, auf den Kampfplatz geschickt, keiner Auf=
gabe gewachsen ist, wehrlos der ersten Gewalt, die als etwas
Neues und Rätselhaftes zugleich in sein Leben tritt. Die
dämonische Anziehungskraft des Grausigen, mag das Grauen
auch der Wahnwitz selbst sein, verkörpert in der Erscheinung
der Rattenmamsell, greift in das Leben dieser Jugend, der

10*

die Unterscheidungsmerkmale für die wirklich großen und
treibenden Mächte im Leben fehlen, der im Geheimnisvollen,
im Spannenden an sich der Kern des Lebens zu liegen
scheint, mit grausamer, unbarmherzig zupackender Hand ein,
reißt sie mit sich fort und vernichtet sie als wehrloses Opfer.

Wir sehen also, wie mit dem Problem der Lebens=
gemeinschaft von Mann und Frau hier auch das andere,
Ibsen so stark beschäftigende, der Arbeit der Generationen
für einander und der Kampf der Generationen miteinander
verschlungen ist; und zwar hier in der Katastrophe Klein
Eyolfs, so sehr sie sich als ein realistisches persönliches Er=
lebnis in dem Dasein Rita und Alfred Allmers erweist, vor=
wiegend symbolisch gefaßt und mit symbolischen Darstel=
lungsmitteln durchgeführt. Aber auch das scheint auf eine
tiefere allgemeine Symbolik hinzuweisen, die über das per=
sönliche Unglück im Allmerschen Hause hinausgeht, daß Alfred
Allmers gerade in dem Augenblick, wo ihm der Sohn ent=
rissen wird, in der Einsamkeit zu der klaren Erkenntnis seiner
Lebensaufgabe als Erzieher der künftigen Generation, sich
durchgerungen hat. Er glaubt frei geworden zu sein vom
Egoismus, indem er in der Einsamkeit die eigenen Ansprüche
an das Leben begrub. Das Buch von der „Verantwortung", an
dem er jahrelang arbeitete, während er für die Verantwortung,
die ihm das Dasein seines Kindes auf die Seele legte, kein
Verständnis hatte, ist in dieser stillen Abrechnung des Mannes,
wie einst Ulrik Brendels Buch [1]), wie ein Phantom in den
Lüften zerronnen, und vernichtet, ehe es da war: „Ich will
versuchen hineinzuleuchten in all die reichen Möglichkeiten,
die in seiner Kinderseele dämmern. Alles, was er an edlen
Keimen birgt, will ich zum Wachstum bringen — es soll
Blüten treiben und Früchte tragen . . . Ich will ihm

---

[1]) Ähnlich auch Eilert Löfborgs Buch.

helfen, seine Wünsche in Einklang zu bringen mit dem, was
er erreichen kann. Denn so weit ist er jetzt noch nicht. All
sein Dichten und Trachten ist auf das gerichtet, was sein
Leben lang für ihn unerreichbar ist. Ich aber werde das
Glücksgefühl wachrufen in seinem Gemüt."

Aus diesen Worten spricht ein Schuldbekenntnis und zu=
gleich ein Zukunftsprogramm einer Generation, deren Selbst=
anklagen wir auch im „Baumeister Solneß" hörten, die, zu ein=
seitig darauf bedacht, für sich und ihre persönlichen, geistigen
und sittlichen Bedürfnisse sich das Leben zu bauen, über dieser
Sorge für das Nächstliegende es versäumt hat, die Blicke in
die Höhe und in die Weite zu richten, es versäumt hat, dafür
zu sorgen, daß an Stelle des alten Hauses, das ihr nicht
mehr genügt, ein neues kommt, das Licht und Luft und Be=
wegungsfreiheit bietet und Schutz vor Unwetter für die
Menschheit der Zukunft.

Aber indem Allmers, wie er sich und andere glauben
machen will, dem Gesetz der Umwandlung gehorchend, hier=
mit eine höhere und bessere Lebensanschauung verkündet,
ist er in Wirklichkeit mindestens in einer schweren Selbst=
täuschung befangen, was die Selbstlosigkeit seines Entschlusses
betrifft; und er vergißt zugleich, daß nicht nur an dieses
Kind, dessen Schicksal er in die Hand nehmen will, sondern
auch an ihn selber noch ein Wesen ein Anrecht hat, das er
nicht so ohne weiteres abschütteln und aus seinem Leben
ausscheiden kann. Das ist Frau Rita, die er zur Frau ge=
nommen hat, weil sie auf seine Sinne Eindruck machte und
weil sie die „golbenen Berge" besaß, die ihm und der ge=
liebten Schwester ein sorgenloses Dasein in seinem Sinne zu
verbürgen schienen. Das Bedenklichste aber ist die bewußte
Selbsttäuschung, zu deren Beschönigung er die Formel vom
Gesetz der Umwandlung sich aufgreift. Nicht die Klarheit
über seine nächste Pflicht, sondern die Klarheit über sein Un=

vermögen, das, was er bisher für seine Lebensaufgabe ge=
halten, zu lösen — die Vollendung des Buches über die Ver=
antwortung — hat ihn „umgewandelt". Und wenn daher es
zunächst als eine unverdiente Grausamkeit des Schicksals er=
scheint, daß ihm gerade in diesem Augenblick das Kind, für
das er sein Leben einsetzen will, entrissen wird, in Wirklich=
keit trifft ihn der Schlag nicht unverdient, nicht unverdienter
als die Mutter, die, weil sie glauben muß, daß es die Sorge
um das Kind ist, die den Mann blind und gleichgiltig für
ihr heißes Liebeswerben macht, dem eigenen Kinde den Tod
wünscht; und die für diesen Frevel, durch die dem Wort auf
dem Fuß folgende Erfüllung gestraft und auf den Tod ver=
wundet wird.

Für den Durchschnittspsychologen, ja auch noch für den
Ibsen in den „Stützen der Gesellschaft", würde eine solche
Katastrophe vielleicht genügend erscheinen, um über den
Trümmern des zusammengebrochenen Glücks die Hoffnung
eines neuen Lebens, in dem die kinderlosen Eltern in dem
Gedanken an das Verlorene sich selbst wieder= und zusammen=
finden, aufdämmern zu lassen.

Aber Ibsen hat sich durch die gemeinsame Schuld, die
jene beiden, so lange das Kind lebte, verhältnismäßig leicht
trugen, die aber nun, wo es ihnen unwiderbringlich entrissen
ist, ihnen aus jedem Erinnerungsbild — greifbar in der kleinen
Krücke — in Träumen entgegentritt, aus den großen offenen
Kinderaugen mit vorwurfsvollem Blick sie anstarrt, diesen be=
quemen Ausweg selbst verbaut. Mann und Frau müssen jeder
für sich in trostloser Verzweiflung und Einsamkeit mit sich, mit
ihren wilden, selbstischen Gelüsten und Begierden, die trotz
alledem noch lebendig sind, kämpfen auf Tod und Leben,
müssen aus den Truggespinsten von eitler Selbstbespiegelung
und weichlichem Schmerzkultus sich herausarbeiten, müssen in
heißem, erbitterten Kampfe miteinander die tiefsten Tiefen

ihres Empfindens aufrühren, und mit einer weder Scham
noch Mitleid kennenden Unerbittlichkeit eins dem andern in
die verborgensten Winkel des Herzens ohne Erbarmen hinein=
leuchten, ehe sie innerlich frei werden.

Es ist vielleicht das Peinlichste und Erschütterndste, was
je ein Dichter dramatisch zu gestalten gewagt hat, das was
er aus dieser Ehe uns mit erleben läßt; und zwar nicht nur
das, was er seiner Gepflogenheit nach uns aus Vorgängen
der Vergangenheit mehr oder minder deutlich erraten läßt,
sondern gerade das, was wir als Gegenwart mit ansehen
und mit anhören. Eine grenzenlose Trauer, eine grenzen=
lose Hoffnungslosigkeit, eine maßlose Bitterkeit schreit und
schrillt aus den Worten, die wir hören. Wir sehen
eben zwei Menschen, die allen festen Boden unter ihren
Füßen verloren haben, die nichts mehr ihr eigen nennen
können, nicht einmal ihre eigenen Gefühle: „Wenn es sich
so verhält, wie du meinst, dann haben wir zwei unser eigenes
Kind niemals besessen.“ „Nein nicht ganz, die Liebe war
nur halb dabei.“ „Und doch trauern wir jetzt so bitterlich um
ihn.“ „Ja, ist das nicht sonderbar? So zu trauern um
einen fremden kleinen Jungen.“

Und das ist noch nicht einmal das Schlimmste und
Bitterste, was zur Aussprache kommt.

Manchmal glaubt man Noras Stimme zu hören, aus
ihrer letzten Unterredung mit Helmer. Aber die Dissonanzen
sind hier viel schriller, weil diese beiden Menschen hier, so
verschieden geartet sie sind, im Grunde doch einander eben=
bürtig sind. In ihnen beiden ist Etwas, das alle Schuld
gegeneinander und alle Schuld miteinander, das alle niedern
Triebe und alle unklaren und unlauteren Leidenschaften und
Gesinnungen nicht zu ersticken vermögen, das sich emporringt
zum Licht und zur Freiheit selbstloser Hingabe an das
Gute. Und darum finden sie beide den Weg zu einander,

finden den Frieden und finden die Kraft, „erdgebunden" wie sie beide sind, aber auch „mit Himmel und Meer ein wenig verwandt" miteinander zu leben.

Das Gesetz der Umwandlung vollzieht sich an ihnen unter Qualen. „Denn es ist auch wie eine Art von Geburt" (Rita), aber zugleich und mehr noch „eine Auferstehung, ein Übergang zu einem höheren Dasein."

Die Veranschaulichung dieses Wandlungsprozesses ist ja das eigentliche Problem des Dramas, aber nicht vorgeführt in Gesprächen, sondern in einer Reihe von inneren Erleb-nissen der Beteiligten, in denen der große Eyolf (Asta) auch für sich einen bittern Entsagungskampf kämpfend, die beiden, die der kleine Eyolf für immer zu trennen drohte, wieder zu-sammenführt. Keine theatralische Phrase oder Pose stört diesen seelischen Heilungs= und Läuterungsprozeß. Wir glauben es zu fühlen, zu sehen, wie die arme „erdgebundene" Rita, die es eigentlich nicht Wort haben will, daß sie „auch mit Himmel und Meer ein wenig verwandt ist", durch den aus dem großen Leid aufblühenden Glauben des Mannes an ihre edlere Natur in das befreiende Bewußtsein einer höheren Verantwortlichkeit hineinwächst, und wie das Wort, das ihr früher als ein Schreckgespenst verhaßt war, für sie ein neuer lebendiger Begriff nicht nur, sondern ein Halt wird, an dem sie sich aufrichtet. So ist der Entschluß, den sie faßt, für die verkommenen Kinder zu sorgen, ihnen ihr Leben zu weihen, wohl eine Eingebung des Augenblicks, aber, weil er aus einer neuen, erkämpften Lebensanschauung herausgeboren ist, wurzelfest. Und der Mann, der in der Einsamkeit vergeblich den Weg suchte, und sich in Worten und Vorstellungen ver-lor, er steht neben ihr auch auf festem Boden, auch ihm ist das Wort That geworden im Kampfe mit dem eigenen Ich, wunschlos, aber nicht hoffnungslos. Das Kind ihrer Jugend ist tot, die Geliebte seines Herzens für immer verloren. Und doch geht er in diesem Augenblick hin und hißt die Fahne, die halb Mast wehte, bis zur Spitze:

„Ein schwerer Arbeitstag steht uns bevor."

Aber die beiden kennen keine Furcht. Denn ihr Blick ist rein und klar emporgerichtet „nach oben, zu den Gipfeln hinauf. Zu den Sternen. Und zu der großen Stille."

Ich kenne keinen ergreifenderen und versöhnenderen Ausklang einer so aus dem verborgensten Seelenleben geschöpften Tragödie, als dies letzte Wort des Mannes, und die schlichte Antwort der Frau, mit einem Händedruck: „Ich danke Dir!"

XI. John Gabriel Borkman.

Wie ein klarer, sonniger Herbsttag klingt „Klein Eyolf"
aus. Schon hat die Sonne den Höhepunkt überschritten,
schon haben die Rosen abgeblüht, und der erste Sturmwind
schon manchen zarten Zweig und manche Blüte geknickt, aber
noch sind die schaffenden Naturkräfte lebendig, und im
späten Glanz reifen die letzten Früchte hoffnungsvoll der
Ernte entgegen. Durch all die Melancholie des sterbenden
Sommers glüht es noch wie ein letzter Widerschein von
Sehnsucht und Hoffnung auf neues Leben, das im Schoß
der Zukunft schlummert, auf einen neuen Frühling, der das
scheinbar Tote wieder lebendig macht.

An einem Winterabend beginnt und schließt die Tragödie
des Alters „John Gabriel Borkman". In tiefer, verschneiter
Einsamkeit unter einsamen, hoffnungslosen Menschen, die mit
dem Leben fertig sind, zu denen nur zuweilen als einziges
Zeichen des draußen noch pulsierenden Lebens fernes Schlittenge=
läut hereinklingt, sucht die Schuld und die Anklage und die Reue
Vergeltung und Gehör. Gespenster von weit zurückliegenden
Thaten und Vergehungen schweben und schleichen durch die öden
Räume des einsamen Herrensitzes und reden zu Gespenstern.
Auch die in Fleisch und Bein noch darin umherwandeln, sind
Gespenster, sind längst tot, ohne es zu wissen. Die Gesell=
schaft, das Leben da draußen ist über ihre Pläne, ihre

Hoffnungen längst zur Tagesordnung übergegangen, hat
sie begraben, und ihre Persönlichkeiten gleichgiltig aus=
geschaltet aus den eigenen Lebenszielen und Plänen. Sie
aber ahnen nichts davon. Und so spinnen diese Lebendig=
toten mit unheimlicher Geschäftigkeit und in tödlichem Haß
und Zorn gegeneinander Gespinste und Fäden, die nur sie
selber verstricken, und schmieden Waffen, die nur sie selber
verwunden. Und merkwürdig genug, wenn wir nun unter
sie treten, wenn wir unter dem verblichenen Glanz des alten
Gartenzimmers die alte Frau Borkman mit den strengen,
starren Zügen reden und träumen hören von der großen
Mission ihres Sohnes, der ihr ganzes Leben gegolten — „so
hoch zu steigen und so weit über das Land zu glänzen, daß
kein Mensch mehr den Schatten sieht, den sein Vater auf
mich geworfen hat und ihn" — von dem „Denkmal, das sie
über dem Grabe John Gabriel Borkmans errichten will, das
alles Dunkle verdecken soll, das einmal war; und vor den
Augen der Menschen Vergessenheit breiten soll über John
Gabriel Borkman"; von dem Sohn, „der ein Leben führen soll
in Reinheit und Hoheit und lichtem Glanz, so daß seines
Vaters Leben unter dem Tage getilgt ist aus der Erinnerung
der Menschen", dann ist es uns, als hätten wir das alles schon
einmal, wenn auch nicht in so harten, bitteren Worten, gehört,
als kennten wir diese Mutter und diesen Sohn, auf den sie
hofft; und wir wissen auch, wo es gewesen ist, als wir
ihnen zuerst begegneten: an einem dunklen, nebelschweren Regen=
tag, da draußen am Fjord, im Hause des Kammerherrn Alving.

Und wenn wir eben diesen Sohn in grausamer Gleich=
gültigkeit sich vom Alter, von der Vergangenheit und den
Pflichten der Vergangenheit abwenden sehen, wenn wir von
ihm hören: „Alles was ihr mir bieten könnt, ihr Alten,
ihr Einsamen, all eure Liebe ist mir nichts. Denn ich bin
jung. Ich will nichts arbeiten, ich will nur leben, leben

leben, für's Glück" und wenn er dieses Glück in den Armen
einer schönen, sinnlichen Frau sucht und findet, so wissen wir
auch genau, daß wir das schon einmal erlebt haben. Nur daß
damals der Sohn, so lange er gesund war, etwas mehr
wollte, als bloß leben, und daß es damals nicht eine vor=
nehme Dame war, für deren Besitz er die Mutter preisgiebt,
sondern daß sie Regine Engstrand hieß.

Wenn wir aber in den oberen Stock hinaufgehen zum
„kranken Wolf", zu der gefallenen Größe John Gabriel, der,
mit einer ungeheueren Thatkraft und einem nicht minder
großen Wagemut in kleine, enge Verhältnisse gebannt, aus dem
Widerstand der Beschränktheit und Dummheit sich das Recht
zu an sich verbrecherischen Handlungen skrupellos zuspricht,
weil sie ja am letzten Ende doch nur der Allgemeinheit zu
gute kommen mußten, so glauben wir auch diese kalten, durch=
bringenden Blicke schon einmal gesehen zu haben und eine
ähnliche Moral, wenn auch mit weniger selbst bewußter
Kraft, schon einmal vortragen gehört zu haben im Hause
des Konsul Bernick aus dem Munde des Hausherrn. Hier
ist alles größer, gigantischer, starrer und wilder, bis zum
Wahnsinn verzerrt, der das Erz in den Tiefen „singen" hört,
unter dem Hammerschlag „vor Freude" — denn „es will ans
Tageslicht und den Menschen dienen" — und der unter
dem Zwang der Machtbegierde auch das Liebste kaltblütig
unter die Füße tritt.

Und wir kennen auch die Frau, Ella Rentheim, die mit
ihm, um ein verlorenes Lebensglück, um „das Verbrechen,
das er an ihr begangen und für das es keine Vergebung
giebt", „die große Todsünde" rechtet, die Todsünde, „die man
begeht, wenn man das Liebesleben mordet in einem Menschen".
— „Du hast alle Freudigkeit in mir als Menschen getötet; zum
mindesten alle Freudigkeit in mir als Weib"; — wir haben sie
auch schon im Bernickschen Hause gehört und gesehen und

lieb gewonnen, das einsame, alte Mädchen, das die Glorie stillen Heldentums umstrahlt. Damals hieß sie Lona Hessel. Ja auch der sich bescheiden im Hintergrund haltenden schüchternen Greisengestalt, Foldal, glauben wir schon begegnet zu sein; d. h. nicht so sehr ihr selbst, als dem Kreise, zu dem sie gehörte: im Dachzimmer bei den Ekdals, unter jenen Existenzen, für die Lebenslüge eine Wohlthat ist; sie gleicht in ihrer kindlichen Herzensgüte und Einfalt, in ihrer bedingungslosen Auf= opferungsfähigkeit zwar nicht den Männern, die dort aus= und eingehen, wohl aber gemahnt sie von ferne an Ekdals Tochter, die die Aufklärung über die Lebenslüge mit dem Leben bezahlt. Doch das nur nebenbei.

Das Seltsame und Eigentümliche an diesem Drama des Alters ist, daß die Hauptgestalten ausnahmslos uns an= muten wie Revenants. Es ist wie in den Gespenstern: „das Paar aus dem Blumenzimmer geht wieder um"; die Menschen aus der Vergangenheit sind wieder zu neuem Leben erwacht. Aber — und darin liegt, abgesehen von bereits vorhin Ange= deutetem, noch etwas ganz besonderes Grausiges und Unheim= liches, sie sind nicht wieder gekommen in der Gestalt, in der wir sie zuerst gekannt, d. h. als Menschen, die trotz aller Enttäuschungen doch noch mit dem wirklichen Leben verknüpft sind, sondern als Greise, die den Tod bereits in der Brust tragen und die gleichsam am Rande des offenen Grabes einen letzten, er= bitterten Kampf kämpfen, wie sie wähnen um die Zukunft, in Wirklichkeit aber um eine tote Vergangenheit. Man wird unwillkürlich an die letzte Szene im Faust erinnert, an die Zukunftsphantasie des Erblindeten: „Wie das Geklirr der Spaten mich ergötzt!", während vor seinen Füßen die Le= muren sein Grab graben.

Der Held des Dramas aber gemahnt auch sonst an Faust. In ihm hat der Dichter alle bisher in einzelnen Kraft= anstrengungen seiner verschiedenen, auf halbem Wege erlahmten

Helden entwickelten Züge noch einmal zusammengefaßt zu
jenem Typus skrupelloser Verwegenheit, der sich jenseits von
Gut und Böse eine neue Weltordnung aufzubauen unter=
nommen. Eine Raubtiernatur, ein männliches Seitenstück zu
Rebekka West, dessen naiver, durch keinerlei Gewissensbedenken
je eingeengter Egoismus das Geheimnis seiner Macht und
seiner Erfolge war. Er ist das wirklich gewesen, was Bernick
sein wollte, in Wahrheit aber nur schien. Und so ist er
auch wirklich an dem gescheitert, an dem Bernick gescheitert
zu sein behauptete, an der Verständnislosigkeit seiner Umgebung,
an der Beschränktheit und Dumpfheit der Verhältnisse, in die
ihn das Schicksal hineinversetzt hatte.

In dieser ihm aufgezwungenen Vereinsamung sind ihm
die normalen Maßstäbe für das, was sittlich erlaubt und
materiell möglich ist, verloren gegangen. Einer Verwirrung
der sittlichen Begriffe, die zum Verbrechen führte, das er
durch lange — von ihm nicht als verdiente Sühne einer Schuld,
sondern als brutaler Gewaltakt der kompakten Majorität
(auch Stockmanns Stimme hören wir bisweilen) empfundene —
Kerkerhaft büßen mußte, ist in der Einsamkeit der Zelle und
in der sie ablösenden Einsamkeit seines Zimmers eine geistige
Verwirrung gefolgt, aus der heraus er nie wieder den Weg
zu einer Verständigung mit den übrigen Menschen und damit
zu einer Verwertung seiner, immer noch regen, geistigen Energie
zu finden vermag. Die Zeit der Thaten ist für ihn lange
dahin. Wir sehen nur noch in seinem Zustand, in seinen
Reden, im Zustand der anderen und ihren Reden, die Reflexe
seiner einstigen Thätigkeit und können uns danach das Ge=
misch von Schöpferkraft und Eroberergrausamkeit, das in
John Gabriel Borkman einst verkörpert war, vorstellen. Was
wir mit Augen und Ohren unmittelbar von ihm vernehmen,
sind Phantasien, sind Träume eines kranken Hirns. Wir sehen
nur „einen zu schanden geschossenen Auerhahn", der verzweifelt

mit den Flügeln schlägt, und hören von einer Menschenruine das Wort: „Ich komme mir vor wie ein Napoleon, der in seiner ersten Feldschlacht zum Krüppel geschossen worden ist."

Warum er aber die Schlacht verlieren mußte und warum er auch alle folgenden hätte verlieren müssen, nicht durch die kompakte Majorität, sondern durch sich selber, das ist ihm bis zur Stunde noch nicht klar geworden. So sehr er auch in der erzwungenen Einsamkeit, wo er sich selbst von der Anklage freigesprochen hat, glaubt ein anderer geworden, über sein früheres Ich hinausgewachsen zu sein — „Das Auge ist's, was die Thaten wandelt. Das neugeborene Auge wandelt die alte That" —, den Grundfehler sucht er auch jetzt noch an der falschen Stelle. Er wirft sich die Thatlosigkeit der 8 Jahre, die seit seiner Befreiung verstrichen, vor, ohne zu ahnen, daß das, was seine Hand lähmte und ihn zwang sich in Träumen zu verzehren, ein dumpfes Gefühl der Ohnmacht war, der Ohnmacht des nur auf sich allein bauenden und vertrauenden Strebens. Aber gerade in dem Augenblick, wo er trotzig seiner Frau gegenüber das Facit aus der Vergangen= heit zu seinen Gunsten zieht und nur den einen Vorwurf der späteren Thatlosigkeit will gelten lassen, blitzt, durch eine harte Zwischenbemerkung der Frau hervorgelockt, für einen Augenblick die Erkenntnis des großen und unverzeihlichen Rechenfehlers in ihm auf: „Das eben ist der Fluch, daß ich bei keiner Menschenseele je Verständnis gefunden habe . . Vielleicht bei einer ausgenommen. Vor langer Zeit. In den Tagen, da ich keines Verständnisses zu bedürfen glaubte. Sonst später bei gar keiner. Ich habe niemand gehabt, der voll Wachsamkeit und immer in Bereitschaft gewesen wäre, mich zu rufen, mir zu läuten mit einer Morgenglocke, mich wieder aufzumuntern zu fröhlicher Arbeit."

Aber wir wissen es ja von ihm selber, haben es ja aus seinem Gespräch mit Ella erfahren, daß er selbst dies Element, das er brauchte, dieses Element, das Güte des Herzens, Weite des Blickes und Adel der Gesinnung vereinte, dies Element, das er brauchte, die Hand, die ihn nicht nur stützen, sondern die auch seine eigenen Hände reinigen und adeln sollte zu zu jener großen That der Befreiung, von der er träumte, und die nur von reinen Händen zu einer That des Segens werden kann, in blöder Verkennung ihres Wertes aus seinem Leben ausgeschaltet und damit nicht nur das edelste Herz in seinen Tiefen verwundet, sondern sich selbst den Lebensnerv gelähmt hat.

Das Grausige und furchtbar Tragische dieser Tragödie des Alters liegt aber vor allem darin, daß er auch jetzt zu einer logischen Ausbeutung dieser Erkenntnis sich nicht durchzuringen vermag und daß er, mit einem Fuß im Grabe, trotz alledem noch dem Leben den Anteil am Glück, wie er es versteht, d. h. an der Macht über die Menschen, abzutrotzen und abzukämpfen sich anschickt, daß er weder ein Ohr hat für die Stimmen der Vergangenheit noch für die unerfüllten Wünsche und Hoffnungen, die in einem jungen Geschlecht nach einem Leben im Sonnenschein und in der Freude sich sehnen; und daß es nun sich rächt, daß er weder die Mitlebenden noch die Nachkommenden geachtet hat. Die Gefährtin, die ihn verstand, hat er seiner Selbstsucht geopfert, und die Jugend, die sein Werk hätte fortsetzen können und sollen mit reinen Händen, hat er für nichts geachtet. Und als er sich jetzt endlich an sie wendet, als er mit der Jugend wieder „von vorn anfangen" will, mit der Jugend und durch die Jugend das Vergangene sühnen will, da ist die einzige Antwort, die von dort zurückschallt, eine kalte Verneinung: „Ich bin jung. Ich will auch einmal leben. Mein eigenes Leben will ich leben."

Wie zwei Menschen aus verschiedenen Welten sehen sich Alter und Jugend verständnislos an. Hier in dem

morschen Körper die Lust zu schaffen, zu arbeiten, aber es
fehlt die Kraft, und dort die lebendige sprühende Jugend,
die schaffen soll, aber nicht will.

Ein anderes Geschlecht, mit anderen Idealen, und doch
im Grunde ihm nicht so unähnlich. Macht genießen wollte
der Eine, Freude genießen will die Jugend; in der unge=
bändigten Selbstsucht sind sie wesenseins. In der ungebändigten
Selbstsucht auch wesenseins Vater und Sohn mit der Mutter,
so himmelweit ihre Gedanken sonst auseinandergehen, und so
unvermögend sie daher sind gemeinschaftlich zu leben. Das
vermögen sie aber deshalb nicht, weil sie ein jedes die
Menschen und die Dinge, ihre eigenen Ziele und die Ziele
der anderen nur unter dem Gesichtswinkel ihres auf
rücksichtslose Erfüllung ihrer persönlichen selbstischen Zwecke
gerichteten Willens zu betrachten imstande sind; mögen sie
ihnen, wie Frau Borkman, auch so schönklingende Bemänte=
lungen wie „Mission" geben. Sie kommen alle aus den Dunst=
kreis der persönlichen Wünsche und Gelüste nicht hinaus, und
wenn sie dabei, wie Borkman selbst, in die Höhe streben,
so ist das nicht die himmelstürmende Kraft, die, wenn es sein
muß, auch die eigene Persönlichkeit opfert und der Vernichtung
preisgiebt, um für die anderen in reinerer, freierer Luft ein
höheres Leben zu erkämpfen, sondern nur um von der
erkämpften Höhe kalt und stolz als Herrscher auf die Tiefe
und die Wesen in der Tiefe herabzusehen. Darum müssen
diese Menschen, — zwei vor unseren Augen, den dritten
wird über kurz oder lang auch sein Schicksal ereilen —, zu=
sammenbrechen in dem Augenblick, wo sie sich überzeugen,
daß all ihr Ringen umsonst war, und wo ihnen nicht ihr
Fehler an sich, wohl aber die Unmöglichkeit, ihren fehlerhaften
selbstsüchtigen Willen durchzusetzen klar wird; wo ihnen bei
jedem Schritt, den sie vorwärts näher dem Grabe thun, die
hoffnungslose Losung des Alters: „Zu spät" entgegenschallt,

Litmann. Ibsen.   11

— 162 —

und durch diesen Lebensrefrain ihnen selbst die Fähigkeit, die eilenden Minuten der Gegenwart noch auszukosten und zu nützen genommen wird. „Du hattest Champagner und ließest ihn stehen!" klingt ihnen in den Ohren.

In diese grausige Dissonanz der Hoffnungslosigkeit und des wüsten Haders mit sich selbst und dem Schicksal klingt aber ein versöhnender, befreiender Klang hinein, nicht, wie in der alten Tragödie als eine Stimme von oben, nicht nur als eine Verheißung, sondern als Verheißung und Erfüllung zugleich. Der ärmste und am schwersten im Leben geprüfte Mensch — denn sie hatte ein Herz voll Liebe und das ward verschmäht, und sie hatte selbstlose Güte und die ward verachtet — das alte einsame Mädchen ist das einzige Wesen, das in diesem Wirrwarr, im stickigen Dunst selbstischer Leidenschaften, nicht nur die Sprache der anderen, die einander nicht verstehen, versteht und ihr Leid — auch das derer, die sie selbst um ihr Leben betrogen haben, — fühlt in tiefstem Erbarmen wie eigenes Leid, sondern auch, mit dem Tod im Herzen, und der unerbittlichen Klarheit über ein durch die Schuld anderer verfehltes und verpfuschtes Leben, den Glauben und die Hoffnung nicht verloren hat an die befreiende und erlösende Macht des reinen, selbstlos aufs Gute gerichteten Willens, und die durch ihr Dasein auch in uns diesen Glauben zur Gewißheit macht.

Der Platz auf der Höhe, von dem sie einst in jungen Tagen mit John Gabriel Borkman voller Ahnungen und Hoffnungen auf großes Glück in weite, weite Ferne hinausblickte, in das Traumland ihres Lebens, ist zwar im Schnee begraben, und der alte Baum, der dort oben zu ihren Häupten rauschte, ist abgestorben. Aber während ihr einstiger Kamerad den Blick für die Ferne verloren hat, ist in ihrer entsagungsgeprüften, tapferen Seele die Hoffnung für die anderen noch nicht gestorben. Dadurch ist sie, die Greisin, jünger als die

169

Jugend, die nur genießen will, und der sie, so tiefe Wunden sie ihr dadurch schlägt, diesen Genuß gönnt, weil auch er zum Leben gehört, und, mit dem Tod im Herzen, gesunder und kräftiger, als der Freund ihrer Jugend, der um des „kalten dunklen Reichs da unten" willen, mit seiner Macht und Herrlichkeit, noch jetzt bereit ist, das Beste in sich zu ertöten und an der Herzenskälte, die er in das Leben anderer hinein= getragen, schließlich selbst stirbt.

Es ist die Perspektive des Greises, aus der wir hier Menschen und ihre Schicksale vor unseren Augen vorüber= ziehen sehen. Anders erscheint seinem Auge jetzt die Stellung des Alters und der Jugend zu den Fragen des Lebens, als vordem. Nie vorher ist so schrill und disharmonisch als Parole der Jugend das: Ich bin jung, ich will leben, ich will nur leben, ausgesprochen wie hier. Es klingt die Bitterkeit des Vereinsamenden, der absterbenden Generation herein, und auch die Reue über unwiderbringlich Versäumtes und Verscherztes. Nicht mehr wie früher hat die Jugend unbedingt recht gegen ein in Vorurteilen erstarrtes und verknöchertes Geschlecht. Der Greis fühlt jetzt auch den Stachel gegen sich selber gekehrt und das Gesetz der Umwandlung erweist sich auch an ihm mächtig. Aber doch ist einseitige Verbitterung seiner Seele fremd. Er kann wohl noch nach= fühlen mit der Jugend, wenn er auch in der Zwischenzeit ge= lernt hat, auch mit dem Alter anders zu fühlen. Er ist über die Parteien hinausgewachsen, und wenn vormals der An= kläger oder der Verteidiger aus ihm sprach, jetzt vernehmen wir die Stimme des Richters, der nichts weiter sein will als gerecht und unparteiisch. Aus dem Stimmengewirr einer gärenden, nach neuen Zielen und Grundlagen ringenden, im Kampf entgegengesetzter Lebensanschauungen sich befehdenden und zersetzenden Zeit, sucht er die großen, tiefen Grundakkorde heraus, um mit ihrer Hilfe die Auflösung der durch das

11*

Leben der Einzelnen schwirrenden Dissonanzen herbeizuführen. Mehr und mehr beherrscht ihn der Wunsch, aus den Kämpfen und Erfahrungen des eigenen Lebens die Summe zu ziehen, mit der Vergangenheit abzuschließen, und in einem weit ausschauenden Überblick nach rückwärts und nach vorwärts, ungetrübt von Engherzigkeit und Leidenschaft, für sich und für die nach ihm Kommenden eine neue, befreiende Losung zu suchen, oder richtiger vielleicht den Weg zu bahnen zu einer Perspektive des Lebens, aus der die Gegensätze der verschiedenen streitenden Weltanschauungen und die daraus hervorwachsenden Kämpfe zwischen den Geschlechtern und den Generationen für eine Ausgleichung und Versöhnung auf dem wiedererrungenen Boden einer gemeinsamen, neuen Weltanschauung fähig und reif erscheinen. Aus dieser Grundstimmung heraus schrieb er jenen merkwürdigen Epilog: „Wenn wir Toten erwachen."

XII. Wenn wir Toten erwachen.

—

Ich muß noch einmal an das Wort aus den „Stützen der Gesellschaft" erinnern. „Eure Gesellschaft ist eine Gesellschaft von Hagestolzen. Ihr seht die Frau nicht." Das war der Ausgangspunkt, von dem aus Ibsen eine Neubildung, eine Verjüngung und Läuterung der morschen, in Vorurteilen und Lüge befangenen Gesellschaft erträumte.

Von den Frauen und der kommenden Generation erwartete er das Heilungswerk, von ihrer gemeinsamen Arbeit die Herbeiführung jenes idealen Zustandes, des dritten Reiches, des Zukunftssymbols, das schon so bedeutsam im „Kaiser und Galiläer" aufgestellt worden war. Er setzte einen großen Glauben in die unverbrauchte, aus frischen Quellen schöpfende Kraft der Frau für die soziale Arbeit in Gemeinschaft mit dem Manne. Diese Kameradschaft schien ihm die sicherste Gewähr für die Verwirklichung seiner gesellschaftlichen Ideale; wie sehr, zeigt die Beobachtung, daß alle seine Männer ohne Ausnahme, auch die sprödesten und unsinnlichsten, sich nur in Gemeinschaft mit der Frau stark fühlen, daß sie bis hart an die Grenze der Unmännlichkeit schwach erscheinen, wenn die Frau aus irgend einem Grunde sich dieser Kameradschaft entzieht.

Aus einem ähnlichen gläubigen Vertrauen heraus hat Arnold Rubek, als er sein großes Werk „Die Auferstehung"

schuf, gedacht, „sie müßte am schönsten und wunderlieblichsten
darzustellen sein als ein junges, unberührtes Weib, das von keines
Erdenwallens Erlebnissen entweiht — und aller Flecken und
Schlacken ledig — zu Licht und Herrlichkeit erwacht.“ Aber
in den Jahren, die folgten, wurde er weltklug: „Die Auf=
erstehung ward in meiner Vorstellung etwas Umfaßenderes
— etwas Vielfältigeres. Der kleine, runde Sockel, auf dem
dein Bild schlank und einsam stand, der bot nicht mehr Raum
für alles, was ich nun noch hinzudichten wollte.“ Und so dichtete
er hinzu, was er rings um sich in der Welt mit seinen Augen
sah. „Ich erweiterte den Sockel, — so daß er groß und ge=
räumig ward. Und legte darauf ein Stück der gewölbten
berstenden Erde. Und aus den Furchen, da wimmelts nun
herauf von Menschen mit heimlichen Tiergesichtern — Männern
und Weibern, wie ich sie aus dem Leben kannte.“ Die
Frauengestalt ist zwar geblieben, aber etwas zurückgesetzt,
„mehr in den Mittelgrund“, und von ihrem Antlitz strahlt
zwar noch „der Schimmer verklärter Freude“ aber „vielleicht
ein bischen gedämpft, wie's die neue Idee erforderlich machte.“
Denn nun „drückt das Bild das Leben so aus, wie er es
jetzt sieht“.

Selbstverständlich ist Rubek nicht Zug für Zug Ibsen,
und das Verhältnis des Bildhauers zu seinem Werke ist
ein anderes, als das des Dichters zu der Reihe seiner Werke.
Aber ein Stück Selbstbekenntnis hören wir trotzdem heraus
und fühlen, wie in diesen Bildern ein Kern innerer Erlebnisse
eingeschlossen ist; mehr freilich wohl von Erlebnissen, die
er im Innern seiner Zeitgenossen mit durchlebt und dann
dichterisch zu gestalten versucht hat, als von greifbaren Vor=
gängen seines persönlichen Lebens. Und wenn wir aus dem
„Baumeister Solneß“ und mehr noch aus „John Gabriel Bork=
man“ eine Anklage und eine Klage heraushörten, eine Anklage
gegen den Mangel an Kraft und Willen und Mut, den die

Generation bewiesen, eine Klage über ein in Verkennung der wesentlichen und höchsten Ziele verfehltes Leben, so tritt es uns hier im Bilde entgegen, wenn Arnold Rubek sich selbst dargestellt hat in der Gestalt „eines schuldbeladenen Mannes, der von der Erdrinde nicht ganz loszukommen vermag." Die Verkörperung der Reue über ein verfehltes Leben. „Er taucht seine Finger in das rieselnde Wasser — um sie rein= zuspülen — und leidet und krümmt sich bei dem Gedanken, daß es ihm nie gelingen wird." Und die Anklage, die hier darauf erschallt, die scheinbar so ausgesprochen persönlich ist, sie richtet sich auch hier gegen die ganze Generation in dem einen Wort, das ihm Irene „hart und kalt" hinwirft: „Dichter", mit der Erklärung, „weil du ohne Kraft und Willen bist und voll Absolution für alle deine Handlungen und Gedanken. Zuerst hast du meine Seele gemordet — und dann modellierst du dich selbst in Reue und Buße und Selbstanklage — und damit meinst du dann, ist dein Konto beglichen."

Die Anklage des Seelenmordes, bald mehr bald minder scharf formuliert, haben wir aus dem Munde fast aller Frauen gehört, von Lona Hessel bis zu Ella Rentheim, freilich unter zum Teil sehr voneinander abweichenden Voraussetzungen. Immer aber treffen sie doch in dem einen Punkte zusammen: es ist durch ein Wort oder durch eine Handlung eine Hoffnung erweckt, ein Versprechen gegeben worden, und diese Hoffnung ist nicht erfüllt, das Versprechen nicht eingelöst worden, weil die Versprechenden entweder das Versprechen von vornherein nicht ernst nahmen oder weil es ihnen hernach an Kraft und Mut gebrach, weil auf halbem Weg der Lebenstrieb in ihnen erstarb, und sie mitten im Leben einen geistigen Selbstmord begingen, indem sie das Beste, was in ihnen war, freiwillig und feig aufgaben. Sie starben ohne es zu wissen und glaubten weiter zu leben, obwohl sie schon lange tot waren.

Wie aber, wenn eines Tages diese lebendig Toten er=
wachen und zum klaren Bewußtsein ihres Zustandes kommen?
Wenn sie zu spät inne werden, daß sie mit dem vollen Glau=
ben an sich und der Treue gegen sich selber auch die Kraft
verloren haben zu wirken, und vor allen Dingen die Macht
über andere zum Segen, und wenn ihr Ohr wieder hellhörig
wird für die anklagenden Stimmen der durch sie um den
besten Inhalt ihres Lebens, „den Glauben an sich selbst und
die reine Freude am Dasein,“ Betrogenen? Kommt dann
der wahre Tod und löscht alles aus? oder kommt der Wahn=
sinn und deckt alles zu? oder wird dies Erwachen der erste
Schritt zu einer wirklichen Erneuerung, zu einer Auferstehung
und Verklärung?

Aus diesen zweifelnden, sorgenden Fragen grüblerischen
Alters, das müd auf ein langes Leben voller Enttäuschungen
zurückblickt und das im geheimen die Angst schüttelt vor der
Sekunde, wo der Zeiger für immer steht, wo es zu spät
ist, ist der „Epilog“ erwachsen.

„Hier wird sich manches Rätsel lösen,
Doch manches Rätsel knüpft sich auch.“

Mehr noch als auf irgend eines der vorangegangenen
Dramen trifft dies Wort hier zu. Wer Faden für Faden
des kunstvollen Gewebes aufzulösen unternimmt, wer jedem
Wort und jeder Bewegung der Handelnden die geheime, da=
hinter verborgene Bedeutung abzulauschen versucht, der wird
auf Schritt und Tritt vor Fragezeichen sich gestellt sehen,
die ein Vorwärtskommen und ein wirkliches Eindringen in
den tiefen Plan fast zur Unmöglichkeit zu machen scheinen,
die jedenfalls ein so langes Verweilen und zauderndes Er=
wägen erfordern, daß in diesem Sinnen und Grübeln auch
die Konturen der Partieen, die scharf und klar erschienen,
wieder verschwimmen.

Was spricht aus den Gestalten? und ist das, was sie

sprechen, wahr? oder nur das Ergebnis einer subjektiven Sinnestäuschung?

Alle diese Fragen scheinen hier doppelt verworren, weil die an und für sich dunkle Symbolik des alternden Ibsen hier noch gesteigert ist durch die absichtliche Verzerrung in die Fratze des Wahnsinns. Die Übergangslinien von der symbolischen Ekstase zur willkürlichen Verwirrung des Ausdrucks sind unendlich schwer zu finden und festzuhalten. Mitten aus wirren Phantasien springt plötzlich ein tiefsinniges Symbol heraus, und mitten aus geheimsten Lebensoffenbarungen kichert ein wahnwitziges Gelächter. Das gilt nicht nur für die Äußerungen Irenes, auch für die vielbesprochenen und vielgedeuteten Worte Rubeks, von seinen Porträtbüsten: „Es liegt etwas Verdächtiges, etwas Verstecktes in und hinter diesen Büsten — etwas Heimliches, was die Leute nicht sehen können. Nur ich kann es sehen. Und das macht mir innerlich solch Vergnügen. Von außen zeigen sie jene frappante Ähnlichkeit, wie man es nennt — aber in ihrem tiefsten Grund sind es ehrenwerte, rechtschaffene Pferdefratzen und störrische Eselsschnuten und hängohrige, niedrigstirnige Hundeschädel und gemästete Schweinsköpfe — und blöde, brutale Ochsenkonterfeis sind auch darunter". Auch aus diesen Worten grinst ein versteckter Wahnsinn, in der Schöpferfreude an den „hinterlistigen Kunstwerken".

Spricht hier der Dichter selbst über seine eigenen Werke? Es giebt Leute, die das energisch bejahen, und für jede einzelne Tierfratze den Beleg aus den Ibsenschen Dramen anführen. Meiner Empfindung nach der Gipfel der Verständnis- und Geschmacklosigkeit. Rubek gleicht wohl in manchen Zügen Ibsen, ja ihm mehr als irgend eine andere seiner früheren Gestalten, weil er nicht nur ein Kind derselben Zeit ist, sondern auch, ebenso wie Ibsen, ein schaffender Künstler. Aber wenn ich gerade auf einen Punkt vorhin hingewiesen habe,

wo Rubeks und Ibsens Schaffen in eine direkte symbolische
Wechselbeziehung gestellt sind, so scheint mir doch gerade daraus
hervorzugehen, wie bedenklich und gefährlich es ist für die
richtige Erfassung des Sinnes, wenn man beide Gestalten
aufeinander legt, wie Stempel und Matrize. Rubek ist ungleich
mehr Zeittypus, Generationstypus, Standestypus, als Porträt.

Diese große Abrechnung Ibsens mit der Arbeit seiner Ge=
neration scheint nicht zum wenigsten deswegen so persönlich,
weil er sie, je älter er wird, unter dem Gesichtspunkt des alten
Mannes giebt. Dadurch ergiebt sich ein Gegensatz zwischen
seiner Perspektive und der überwiegenden Mehrzahl seiner
Leser und Beurteiler, vor allem derer, die in der Öffentlich=
keit zu Worte kommen.

Versuche ich, von ängstlichen Deutungsversuchen verbor=
gener Nebenbeziehungen, die schließlich nur für den engsten
Kreis einer kleinen Ibsengemeinde Bedeutung und Interesse
haben, absehend, den wesentlichen Gedankeninhalt, die Quint=
essenz der Erfahrungen und Anschauungen eines mit dem
19. Jahrhundert alt gewordenen Zeitgenossen zusammenfassend,
in großen Zügen wiederzugeben, so stellt sich folgendes Bild
uns dar.

Es ist ein Menschheitsdrama und ein Künstlerdrama.
Auf dem Haupte des Helden liegt doppelte Schuld, des
Künstlers, des Schöpfers, der seinem Ideal untreu ward und
dadurch sich selbst lebend zum Tode verdammte, und des Men=
schen, der in frevelhafter Einseitigkeit, ein höchstes Ziel vor
Augen, die nächsten Pflichten nicht geachtet und dadurch das
Liebste vernichtet hat. Beide Momente sind — wie das bei
Ibsen so häufig vorkommt —, nicht scharf voneinander zu tren=
nen, das ethische und ästhetische vermischt sich oft; aber trotz=
dem müssen beide Elemente im Auge behalten werden, als
bald parallel laufend, bald einander kreuzend, bald zusammen=
fallend.

Weder als Mensch noch als Künstler hat Rubek sein
Wort gehalten. Um die höchsten künstlerischen Ziele sich rein
zu halten, hat er, ähnlich wie Borkman, das sinnliche Leben
mit seinen Forderungen und mit seinen Pflichten nichts geachtet
und hat durch diesen künstlerischen Egoismus ein anderes Leben
— Irene — zerstört, das er durch seine künstlerische Persönlichkeit an sich gelockt hatte, dem er durch die Verkörperung höchster
Reinheit die höchste künstlerische Anregung dankte, das bereit
war, geistig und körperlich in ihm aufzugehen, das er aber
durch sprödes Versagen rein menschlichen Gefühls an sich
selber irre gemacht und der Verzweiflung preisgegeben hat.
Es ist ja nicht bloß, wie es aus den Worten der Wahnsinnigen scheinen konnte, nur die sinnliche Leidenschaft gewesen,
deren Versagen das junge, heißblütige Weib so außer sich
gebracht hat. Sie hat recht, wenn sie sagt: „Und doch — wenn
du mich berührt hättest, ich glaube ich hätte dich auf der
Stelle getötet." Es war die Herzenskälte, die von ihm aus-
strahlte, das Gefühl, daß seine Zurückhaltung ihr gegenüber
keine Tugend, sondern Selbstsucht sei, das Bewußtsein, daß
das Wort von der Herrlichkeit der Welt, die er ihr zeigen
wollte, wenn sie vor ihm niederfalle, eine Phrase gewesen,
bei der er nur an seine Macht über sie, nicht an die grenzenlose Liebe, die sie ihm opferte, gedacht, das Gefühl, daß sie für
ihn nichts weiter sei, als ein Mittel zum Zweck, ihre Erscheinung
in seinem Leben nichts anderes als eine Episode. Daran ist
ihre Seele gestorben in Verzweiflung, und die „Tote" hat nun
in wilder Rachsucht die Reinheit, die ihr zum Fluch geworden, in wahnsinnigem Taumel zerstört. Und als sie dann
vom Tode wieder erwachte, als sie sich selbst wieder erkannte,
sich auferstanden fühlte, da hat sie zu dem wilden Schmerz
über das Verbrechen, das an ihr begangen worden, den
Ekel und die Schande gefühlt: „auferstanden, aber nicht
verklärt".

Er aber, der ihre Liebe gemordet, um seinen künstle=
rischen Idealen treu zu bleiben, hat in demselben Augenblick,
wo sich die Liebe aus seinem Leben löste, den Glauben an
seine künstlerische Kraft verloren. Der Urborn seiner Schöpfung
war sie gewesen, diese hingebende Liebe, die er, obwohl er
wußte, wissen mußte, daß sie etwas anderes war, nur als
Modell verwertete. Sie, die das Leben in Güte und Schönheit
darstellte, die die Beseelung dessen war, was er erträumte,
war ausgeschaltet, und damit erstarb völlig in seiner Seele
die Freudigkeit zum Schaffen. „Nichts mehr hab' ich ge=
dichtet seit jenem Tage. Bloß so herumgepusselt und modelliert
hab' ich.“

Die Schuld des Menschen tötete auch den Künstler.

Er hatte geglaubt sie nicht mehr nötig zu haben und
ward, da sie ihn verließ, gewahr, daß sie den Schlüssel zu dem
Schrein mitgenommen, in dem alle seine Bilderträume ver=
wahrt lagen. Und er, der das Leben nicht geachtet hatte,
als es sich ihm darbot, empfand plötzlich einen Abscheu vor
der Kunst, und in der veröden Seele regte sich ein heißes
Verlangen nach einem Leben in Sonnenschein und Schönheit,
das nichts mit seiner Kunst zu thun hatte. Nach einem
Lebensgenuß um seiner selbst willen, ohne Weihe und ohne
Arbeit. Die Kunst ward ihm zum Spiele mit Fratzen, um
die Menschen zu äffen. Das war die richtige Stimmung,
in der die sinnliche Schönheit der verkörperten materiellen
Lebensfreudigkeit Frau Majas ihn überwältigte und in
Banden schlug. Von den Höhen der äußersten, frevelhaftesten,
künstlerischen Askese herabgesunken in den Abgrund des blöden
Genußdaseins.

Dann kam die Enttäuschung, auch bei ihm, das Er=
wachen vom Tode, die Auferstehung „ohne Verklärung“. Zu=
erst das deutliche Bewußtsein des Frevels an sich selbst und
seiner Kunst; und dann beim Wiedersehen mit dem Urbild

feiner Auferftehung mit dem verwüfteten, zerftörten Bild, das
einft der Urborn feiner Schöpfung gewefen, das Bewußtfein
der größten Thorheit und der größten Schuld.

In dem Augenblick aber beginnt für fie beide die Ver=
klärung, und in demfelben Augenblick tritt auch das Per=
fönliche zurück. Die Geftalten der beiden „Auferftandenen"
wachfen ebenfo wie die beiden noch „Lebenden" empor
zu Verkörperungen der Lebensfchuld und der Lebenskämpfe
und der Lebenstreue einer ganzen Menfchheitsepoche und
Generation.

Hier geht das Leben, wie es feit Anbeginn der
Welt feinen Gang ging, das Leben (Maja und Ulfheim),
das im reinen Genuß des Dafeins an fich ein Genüge
und fein höchftes Glück findet, das in der Materie fo feft
wurzelt, daß es diefe Unfreiheit als Freiheit empfindet und das
Geiftige als eine Feffel; und dort zu den Höhen hinauf ringen
und kämpfen fich die Einfamen, die Abelsmenfchen, die die
Sehnfucht im Herzen haben und den Zwiefpalt, der auch fo
alt ift wie die Welt; den Zwiefpalt der zwei Seelen:

> „Die eine hält mit derber Liebesluft
> Sich an die Welt mit klammernden Organen,
> Die andere hebt gewaltfam fich vom Duft
> Zu den Gefilden hoher Ahnen" —

den Zwiefpalt, der wohl im Glauben Frieden findet, der
aber in Zeiten, wo für unzählige, ohne ihre Schuld, diefe
Grundlagen des unerfchütterlichen Glaubens, der über alles
hinweghilft, wanken, zu einer qualvollen Not und Angft
wird, weil keiner dem andern helfen kann. Keiner hat das
erlöfende Wort, weil jeder unfrei ift, und weil die Genera=
tionen, die einander ablöfen, einander nicht mehr verftehen.
Der große Schlüffel für die Rätfel im Seelenleben des Ein=
zelnen und der ganzen Menfchheit ift verloren. Ein jeder ver=
fucht das Werk der Selbftbefreiung auf feine Weife und

leibet auf seine Weise Schiffbruch oder schließt einen Kompromiß oder findet einen neuen Glauben in der Ahnung und in der Hoffnung auf eine endliche Lösung des Zwiespalts.

Was ist die Lösung des Zwiespalts für die beiden Toten, die auferstanden sind und zur Höhe sich emporgearbeitet haben über die Nebel, die den Blick einengen? es muß eine Lebensmöglichkeit geben und sie wird kommen, wo der alte Streit zwischen Geistigem und Sinnlichem schwindet, wo die Schönheit und die Freude und die Güte in freudiger Arbeit der Wahrheit dienen und aus reinen Schalen, denen, die Treue halten, den Trunk schuldlosen Genusses, der in der Freude verklärt, kredenzen.

„Es giebt drei Reiche," sagt im „Kaiser und Galiläer" der Mystiker Maximos: „Zuerst jenes Reich, das auf dem Baum der Erkenntnis gegründet ward, dann jenes, das auf dem Baum des Kreuzes gegründet ward. Das dritte ist das Reich des großen Geheimnisses, das Reich, das auf dem Baum der Erkenntnis und des Kreuzes zusammen gegründet werden soll, weil es sie beide zugleich haßt und liebt und und weil es seine lebendigen Quellen in Adams Garten und unter Golgatha hat."

Dieses dritte Reich in seiner Herrlichkeit ist es, von dem Ibsens Adelsmenschen träumen, auf das sie hoffen, das keiner von ihnen sieht, das sie nur ahnen in Träumen der Jugend, und das in weiter, weiter Ferne ihnen von dem Gipfel der Berge, in der großen Stille, wie ein tröstliches Morgenrot, das sie nicht mehr erleben, in die brechenden Augen leuchtet und in dem sie den Frieden finden.

Nicht leichten Herzens muß ich hier abbrechen. Ich bin mir nur zu sehr bewußt, daß ich vieles nur flüchtig habe streifen, manches habe mit Stillschweigen übergehen müssen, um mein Ziel in dem gegebenen Rahmen zu erreichen.

Aber mir kam es eben weniger darauf an, hier einen bis in alle Einzelheiten und verborgensten Winkel hineinleuchtenden Kommentar zu geben, als vielmehr die Totalität dieser großen dichterischen Persönlichkeit in den wesentlichen Zügen und möglichster Anschaulichkeit vor Augen zu führen.

Es lag mir dabei ebenso fern, für ihn Propaganda zu machen, wie über und gegen ihn zu polemisieren. Sondern mir kam es darauf an, zum Verständnis und zur Verständigung beizutragen; den gleichgültig Ablehnenden zu zeigen, wie Unrecht sie thun, wenn sie sowohl die Thatsache wie die Ursache des ungeheuren Einflusses, den Ibsen auf das deutsche Geistesleben der letzten 25 Jahre gehabt hat, ignorieren oder leugnen; den Fanatikern der Gemeinde aber den Beweis zu liefern, daß man nicht auf das Dogma von der Lehre „außer Ibsen kein Heil" eingeschworen zu sein braucht, um mit reiner Verehrung und Bewunderung die Größe dieses außerordentlichen Mannes zu würdigen.

Wir wissen genau, was und wie viel wir ihm zu danken haben, daß keiner vor ihm so die springenden Punkte in dem Seelenleben der Gebildeten unserer Generation, ihre Kämpfe und Konflikte psychologisch zu erfassen und dichterisch zu gestalten vermocht hat wie er, und vor allem, daß er einer von den wenigen, ja der Einzige eigentlich ist, der es begriffen hat, daß nur auf dem Boden einer einheitlichen, festen Weltanschauung die Konflikte des Lebens zu lösen sind. Keiner hat uns so die Augen geöffnet über die Grundfragen, die die moderne Gesellschaft erregen, den furchtbaren Kampf zweier Generationen, die über den Mangel einer einheitlichen Weltanschauung teils durch das System der Lebenslüge, teils durch tote Formeln hinwegzutäuschen sich bemühen; über die Notwendigkeit, in einer entgötterten Welt, die die Freudigkeit und den Glauben verloren hat, neue, lebendige, sittliche Lebensmächte zu schaffen in gemeinsamer selbstloser Arbeit.

- 176 -

Merkwürdig erscheint mir aber dabei ein Umstand, der
dem Leser vielleicht auch aufgefallen ist, daß in all den
Konflikten und Bündnissen, die der Kampf der Generationen
miteinander schafft, wohl Vater und Sohn, Vater und
Tochter, Mutter und Sohn als Bundesgenossen oder Kämpfer
einander gegenübertreten; aber nie Mutter und Tochter. Wo
sie gleichzeitig erscheinen, sind ihre innern Beziehungen zu
einander, verglichen mit denen zu den andern, ganz belanglos
und oberflächlich. Auch in der Vorgeschichte seiner Heldinnen
spielt nie das Verhältnis von Mutter und Tochter eine Rolle.

Das Ausschalten dieser tiefsten und innigsten seelischen
Beziehungen zweier Frauen zu einander ist wohl kein Zufall.
Es macht fast den Eindruck, als wolle er, ebenso wie er überhaupt die Frauen untereinander fast ausnahmslos als einander
nicht verstehend, einander bekämpfend gegenüberstellt, damit
andeuten, daß er nur aus der gemeinschaftlichen Arbeit von
Angehörigen derselben Generation, aber verschiedenen Geschlechts sich Heil für die Zukunft verspricht.

Jedenfalls ist in dem völligen Versagen dieser Saite
bei ihm wohl auch mit der Grund zu suchen dafür, daß
er so häufig auch da, wo wir die Feinheit seiner Psychologie bewundern, von uns als wesensfremd empfunden wird.

Ich meine, das ist kein Schade. Gerade je klarer wir
uns darüber sind, desto unbefangener, desto rückhaltsloser
können wir dem Dichter geben, was des Dichters ist, uns
freuen, daß er da ist, und hoffen, daß auch einmal wieder
die Zeit kommt, wo ein Großer zu uns spricht, von dem
wir ohne jede Einschränkung sagen können: „Er ist unser.“